Y0-CCM-530

LE DOUZIÈME CHAPITRE

Jérôme Loubry est né en 1976. Il a d'abord travaillé à l'étranger et voyagé tout en écrivant des nouvelles. Son premier roman, *Les Chiens de Détroit*, a obtenu le prix Plume Libre d'argent 2018.

Paru au Livre de Poche :

Les Chiens de Détroit

JÉRÔME LOUBRY

Le Douzième Chapitre

ROMAN

CALMANN-LÉVY

ISBN : 978-2-253-25992-3 – 1re publication LGF

Pour Loan

« Si vous lisez ces pages, c'est que la promesse aura été tenue. »

David Malet

Février 1986

Paul Vermont écoutait avec attention les calculs opérés par son comptable.

Même s'il se doutait du contenu des résultats, jamais il n'aurait pensé que tout se serait accéléré de la sorte. En cinq mois à peine, son usine avait perdu plus de trente pour cent de sa clientèle. Ce que lui apprit son vis-à-vis ne le rassura nullement. La crise de la métallurgie frappait la région de plein fouet. Personne n'avait vu venir l'offre provenant des pays de l'Est. Le cahier des commandes s'essoufflait et la mise en vente discrète de l'usine n'avait pour l'instant attiré aucun repreneur.

— Combien de temps ? demanda le directeur, le visage blême.

— Six mois, peut-être huit. Les difficultés se sont multipliées, les banques ne nous suivront pas plus longtemps.

Paul se leva de sa chaise, silencieux, et s'approcha de la cheminée où crépitait un feu soutenu. Âgé de trente-six ans, à ce moment il en parut vingt de plus. Il avait hérité de l'entreprise à la mort de son père, dix ans auparavant. À l'époque, l'usine fonctionnait encore à plein régime, et sur son lit de mort le paternel pensait offrir un avenir florissant à son fils et aux salariés qu'il connaissait presque tous par leur prénom. S'il avait su…

Six mois. La sentence lui parut injuste. Il avait tant mis dans cette usine. Depuis le début de la crise, il s'était toujours arrangé pour maintenir le navire à flot et avait beaucoup sacrifié. L'argent, le temps, sa famille. Des nuits blanches à repousser l'inéluctabilité, à espérer des contrats… Et maintenant la cruauté des chiffres.

Six mois.

— Il n'y a aucune autre possibilité ?

— Je suis désolé, mais le dépôt de bilan semble la meilleure solution. Il faudra l'expliquer au personnel le plus tôt possible, que chacun puisse prendre ses dispositions.

— Deux cent dix-huit salariés sur le carreau…

— Ce n'est pas de votre faute, la conjoncture…

— Oui, la conjoncture…

Le bureaucrate se leva, rassembla ses documents et les rangea dans son attaché-case. Il ne troubla le silence que pour murmurer un hésitant « à dans quinze jours » qui sonnait plus comme une supplication que comme une réelle question. Il savait Paul Vermont solide, mais après une nouvelle comme celle qui venait de tomber, même le plus combatif des hommes risquait de baisser les bras. Et de faire une connerie.

— Oui, répondit celui-ci en se détournant des flammes. À dans quinze jours.

— Très bien. Ne restez pas enfermé dans ce bureau, Paul, aérez-vous l'esprit. Il n'est jamais bon de rester seul avec ses soucis.

Au moment où il s'apprêtait à passer la porte, le comptable de Vermont Sidérurgie entendit un dernier chiffre :

— Sept mois.

— Je vous demande pardon ?

— Nous fermerons dans sept mois. Ne le dites à personne pour l'instant. Je veux que mes salariés passent un dernier été tranquille dans notre centre de vacances. Eux et leurs familles vivront des jours suffisamment sombres pour ne pas les laisser profiter une dernière fois du soleil. Huit mois, ce qui repousse en septembre.

— Très bien, monsieur.

Paul Vermont resta un instant silencieux. Comme un boxeur groggy par un coup inattendu, il n'était plus en état de penser. Son esprit se trouvait ballotté, incapable de se raccrocher à une potentielle corde. Il ferma les yeux un instant, perdit légèrement l'équilibre et posa sa main contre l'âtre de la cheminée pour se maintenir.

— Un dernier été, souffla-t-il.

Les laisser fouler l'asphalte chaud de l'avenue des Mouettes.

Savoir les enfants rire dans le creux des vagues.

Permettre aux adultes de refaire le monde, une bière à la main, en observant le soleil entamer sa descente au-dessus de l'océan.

Aussitôt, la vision d'une femme pendue à une poutre lui apparut. Un sentiment de solitude l'envahit alors. Un rapide regard lancé en direction de la photo encadrée sur son bureau. Neuf ans déjà.

Puis Paul se ressaisit. Il chassa l'image de ce corps suspendu pour l'éternité, attrapa ses clefs et sortit. Il descendit l'escalier métallique qui conduisait aux ateliers. Dans son esprit, il visualisait déjà les regards implorants de ses salariés lorsqu'il leur annoncerait la nouvelle. L'incompréhension, la peur, la colère. Perdre son emploi dans une région comme le Limousin condamnait souvent l'ex-travailleur à des années d'errance dans le système. De plus, la majeure partie du personnel était non qualifiée. Retrouver un emploi digne de ce nom serait une tâche très difficile et beaucoup resteraient sur le carreau.

Une fois la porte du premier atelier passée, Paul fut accueilli par les sons familiers de l'usine : grincements des machines, claquements du métal que l'on malmène, crépitements des étincelles de soudure à l'arc, martèlements des outils de façonnage… Il traversa l'immense pièce puis atteignit une coursive. Il croisa plusieurs membres du personnel qui le saluèrent respectueusement. Combien seraient prêts à lui cracher au visage dans quelques mois ? Combien lui réclameraient des explications qu'il serait incapable de fournir ? La conjoncture ? Juste un bouclier derrière lequel se réfugier. Pas un n'y croirait. D'ailleurs, lui-même avait du mal à se contenter de cette excuse passe-partout. Vermont Sidérurgie était une entreprise familiale. Tous les arbres généalogiques de la région y avaient semé leurs fruits. Toutes les familles avaient un ou plusieurs de leurs membres inscrits sur le tableau du personnel. Toutes les rues observaient au petit matin un de ses habitants quitter son foyer, affublé d'un badge d'entrée et d'une combinaison grise.

Un furtif rayon de soleil transperça les vitres de l'usine et caressa les poutres en acier, le sol poussiéreux tacheté d'huile et le souvenir des premières années florissantes. Paul laissa la chaleur embrasser son visage et ferma les yeux. Les prochains mois seraient douloureux.

Même s'il avait essayé de vendre l'entreprise sans passer par les voies officielles – et éviter ainsi que le personnel n'apprenne la triste réalité –, il savait que peu de temps restait avant que la faillite ne soit le sujet des conversations de comptoir.

— Bonjour m'sieur Vermont, tout va bien ?

Lorsqu'il rouvrit les yeux, Paul se retrouva face à l'un de ses employés, Franck, que les autres surnommaient « le Rouquin ». C'était un homme trapu, dont le visage acéré et le regard pénétrant marquaient quiconque le croisait. Mais ce qui s'imprégnait le plus dans la mémoire de ceux qui le rencontraient pour la première fois restait cette longue cicatrice qui lui barrait la joue droite.

— Oui Franck, merci, tout va bien. J'avais juste besoin de respirer un peu.

Le patron regarda son employé s'éloigner. Le Rouquin était arrivé dans l'usine deux ans avant que Paul ne prenne la relève de son père. Lors de leur premier échange, un lien immédiat s'était noué entre eux. Une amitié feutrée et respectueuse qu'aucun des deux hommes n'aurait pu expliquer.

Souvent, en fin de journée, tandis que la mécanique de l'usine devenait silencieuse et que les derniers râles métalliques murmurés par le refroidissement des machines s'étiraient en écho le long de son squelette, les deux hommes se retrouvaient dans le bureau du patron pour partager un verre.

Ils discutaient travail tout d'abord, puis les conversations déviaient vers des sujets plus personnels, presque des confidences.

Dans cette intimité, il arrivait parfois que le patron prononce le prénom d'Éléonore. Le peu de fois où il le fit, Franck lui soufflait ce conseil qu'il se répétait à lui-même chaque matin en se levant et chaque soir en se couchant pour lutter contre sa propre mélancolie : « Il n'est jamais bon de ramener les fantômes à la vie, monsieur Vermont. »

Non, ce n'est jamais bon.
Pourtant, c'est ce qui se produisit.
Un certain été 1986.
Le dernier de l'usine.
Le dernier de mon enfance.

PREMIÈRE PARTIE

Murmures marins

« Je dois te tuer. Tu comprends ?
— Oui, répondit la fillette.
— As-tu peur ?
— Non. Est-ce que je vais devenir un fantôme ? demanda-t-elle, une soudaine étincelle de vie dans les yeux.
— Oui. Et tu murmureras à l'oreille des vivants pendant de longues années. Viens. Il est temps à présent. »

1

Lundi 14 août 2017

« Quelle chance vous avez d'être écrivain ! Vos journées doivent être passionnantes ! »

C'est ce que je lis.

C'est ce que j'entends.

C'est ce que je devine parfois dans le regard incrédule et envieux de celui à qui je viens d'énoncer ma profession.

Et à chaque fois je me retiens de répondre : « Si vous saviez, il n'y a rien de plus ennuyeux et répétitif. »

Non, la journée d'un écrivain n'a rien de passionnant, sinon dans l'imaginaire de ceux qui la fantasment. L'écrivain, lui, il s'emmerde. Voilà pourquoi il invente des histoires. La routine morne et soporifique est donc nécessaire à son métier. Pour lui, les journées « passionnantes » représentent le plus grand risque de page blanche, tout comme elles sont synonymes pour son éditeur d'un manuscrit rendu hors délais.

J'ai très longtemps essayé d'expliquer cela à ma femme.

Elle me rétorquait alors que Hemingway participait à des guerres, qu'il pêchait à Cuba et se saoulait à Paris. Et qu'il arrivait *aussi* à écrire. Et moi, je lui citais d'autres auteurs illustres qui se terraient dans le monastère de leurs existences afin d'y écrire des chefs-d'œuvre.

Puis, j'ai laissé tomber. Tout comme elle a abandonné l'idée de me voir l'accompagner dans des soirées ou même de faire du shopping à ses côtés.

C'est ainsi.

Nos routines personnelles ont nourri la routine de notre vie commune. Pas suffisamment pour nous séparer. Mais assez pour nous éloigner l'un de l'autre, sans que chacun trouve à redire.

Parfois, l'un de nous s'échappe de sa bulle pour se rapprocher un peu de l'autre, permettant ainsi à notre vie conjugale de revêtir les apparats de ses premières années. Je me retrouve alors assis au cinéma à ses côtés, à lui tenir la main en arpentant la plage ou face à elle dans l'un de ces restaurants hors de prix dont elle raffole. Et à son tour, Sarah se glisse de temps en temps dans mon univers. Je la surprends assise dans la pièce à l'étage, celle où je rédige la plupart de mes romans, à lire mes épreuves, aussi respectueuse et silencieuse qu'une veuve veillant la dépouille de son mari.

Mais, si la routine est nécessaire, bienfaitrice et réconfortante, elle possède également un défaut majeur : sa précarité.

Un simple petit grain de sable suffit à la déstabiliser.

Et c'est ce qui est arrivé ce lundi 14 août 2017.

L'océan calme sur lequel voguait ma routine s'est déchaîné.

Sauf que…

Sauf que ce n'était pas uniquement ma journée qui allait être anéantie par un grain de sable. Mais ma semaine. Mon sommeil. Ma baie vitrée…

Ah oui, et mon passé.

Pourtant tout avait commencé d'une manière classique : Sarah avait réglé son réveil à 7 heures. Comme tous les matins, y compris le week-end.

Aussi immuable et régulière que les vagues.

Je me levai avec elle, lui fis son thé « des hauts plateaux » pendant qu'elle prenait sa douche puis la regardai se préparer pour un métier *normal*. Selon ma femme, un métier *normal* consistait à se rendre à un lieu précis pour effectuer des tâches précises et à être rémunérée pour cela. Sa normalité était d'être agent immobilier dans la ville voisine.

« Toi, ce n'est pas vraiment un métier. Tu restes assis face à l'océan, à tenter de trouver une histoire qui, ensuite, te cloîtrera dans cette maison durant de longs mois. Tu t'enrichis dans la stagnation physique et sociale. Et non, le mouvement de tes doigts sur le clavier de ton ordinateur n'est toujours pas une activité sportive reconnue par le CIO. »

J'avais tenté de la dissuader. De la raisonner. De lui expliquer qu'avec tout l'argent que me rapportaient mes livres, nous pourrions elle et moi tenir des centaines d'années sans avoir à travailler.

En vain.

Alors, chaque jour, je l'observais du coin de l'œil quand elle se maquillait et enfilait son tailleur. Cette volonté de s'accrocher à une vie sociale me semblait futile et dénuée de tout intérêt. C'était comme se déguiser pour un carnaval venant d'être annulé. Mais c'était son choix.

Je l'accompagnai dans la cour, fixai mon attention sur les longues jambes qui se contorsionnaient pour s'installer dans son coupé de luxe en révélant ainsi leur beauté. Je restai immobile jusqu'à ce que la voiture disparaisse derrière les grilles de la propriété qui, depuis une semaine, ne se refermaient plus complètement. Problème électrique sans doute.

Lorsque je rentrai dans la maison, le parfum fruité de sa présence stagna pendant de longues minutes avant de s'évanouir.

Vers 9 heures, je me connectai à internet pour essayer de me tenir au courant des tragédies du monde extérieur. J'en profitai pour jeter un œil sur les ventes de mes différents opus et pour consulter mes mails. Puis je me servis un café, me posai sur la terrasse panoramique, allumai une cigarette en observant la plage et attendis le passage de la vieille femme et son chien.

Depuis plusieurs semaines, elle aussi possédait sa routine.

Elle marchait lentement, mais effectuait ce trajet tous les jours. Qu'il vente ou qu'il pleuve, elle arpentait son chemin de sable sans dévier de son habitude.

Chaque jour, je l'observais. Elle longeait la plage, jetait un bâton à son golden retriever qui s'ébrouait dans l'écume des vagues, puis disparaissait derrière les pierres de remblai qui délimitaient la propriété. À ma manière, j'honorais son rituel. Je la regardais passer, silencieux, n'osant aucun geste brusque, et même si je ne pouvais de cette distance apercevoir son visage, je la devinais belle, les rides d'une vie emplies d'épreuves et de victoires. Tous les matins, je me disais qu'il serait bien d'aller lui parler. Après tout, le fait de se retrouver aussi souvent au même endroit nous procurait une certaine intimité, même si elle l'ignorait puisque je n'avais pas souvenir qu'elle m'ait une seule fois salué de la main.

Ce lundi, donc, alors que je me servais un deuxième café (juste avant le traditionnel passage de la vieille dame), le téléphone de la maison a retenti. À cet instant, cette simple sonnerie ne représenta qu'un détail mineur, et eut pour effet non pas de m'inquiéter (comment aurais-je pu savoir ?), mais de me rappeler l'importance de brancher le répondeur dès le lever.

Je décrochai à contrecœur, tout en fixant l'horizon.

— C'est toi ? me demanda sans préambule la voix de mon éditeur.

Samuel, en plus d'être celui qui gagnait beaucoup d'argent sur mon dos, était également mon ami d'enfance. Nous nous connaissions depuis la maternelle et avions ensemble franchi les étapes tantôt douloureuses, tantôt jouissives, de la vie. Il était l'archétype même du bureaucrate qui filait vers la cinquantaine en ayant oublié d'entretenir sa quarantaine. L'embonpoint, la calvitie naissante, l'haleine chargée des cigares qu'il fumait sans interruption… Sa gouaille de vendeur de porte-à-porte m'avait cependant suffisamment enrichi pour que je ne retienne de sa personne que sa capacité à vendre mes livres. Ça et nos souvenirs communs, bien entendu.

D'habitude, il m'appelait soit pour me demander où en était l'écriture de mon prochain best-seller, soit pour m'avertir d'une séance de dédicace à venir (dont une était prévue à Paris le samedi suivant). Mais ce matin-là, ses premiers mots furent prononcés de manière tendue, presque agressive.

— Oui c'est moi, tu voulais parler à Sarah ? ironisai-je, connaissant le peu d'affection qu'il portait à ma femme.

— Bordel, je ne te demande pas si c'est toi à l'autre bout du fil, je te demande si c'est *toi* !

Là, la conversation devenait vraiment bizarre. J'hésitais entre rire ou adopter à mon tour un ton agressif et nerveux. Je redoutais que Samuel n'ait commencé à boire. Parce que oui, il était aussi porté sur le whisky. Plus qu'un archétype, presque une caricature.

— C'est moi qui quoi ? demandai-je en ouvrant la baie vitrée qui donnait sur la terrasse.

Un vent déjà chaud me balaya le visage.

— Tu n'as rien reçu ?

— Reçu quoi ?

— Rien du tout ? insista-t-il.

— On pourrait faire des phrases normales, ce serait plus constructif, non ? On se croirait dans une pièce de Beckett ! dis-je à bout de patience.

J'entendis Samuel soupirer à l'autre bout de la ligne. Puis un silence.

Ce soupir pesant et sincère m'alerta plus que tout. Au bout de quelques secondes, j'entendis de nouveau sa voix, plus posée, mais tout aussi tourmentée.

— Tu as vérifié ta boîte aux lettres ?

— Euh… non, pas encore. Que se passe-t-il, Samuel ?

Nouveau silence. Mais pas de soupir. Comme une apnée plutôt. De celle que l'on prend avant d'annoncer une mauvaise nouvelle.

— J'ai reçu ce matin une enveloppe kraft. Elle a été déposée directement dans ma boîte, il n'y a pas d'adresse ni d'affranchissement. J'ai pensé que c'était toi qui…

— Non, je ne t'ai rien envoyé.

— Je ne sais pas si je dois en être soulagé, souffla-t-il.

— Tu me fais flipper là… Il y a quoi dans cette enveloppe ?

— C'est un roman… du moins plusieurs chapitres.

— Et ?

— Je ne sais pas quoi te dire. Tu as forcément dû en recevoir un exemplaire. Va vérifier et rappelle-moi. J'espère que tu n'as rien et que tout cela n'est qu'une mauvaise blague.

Je raccrochai, quittai la terrasse, la plage, les vagues et toute la sécurité de mon train-train habituel pour affronter ce grain de sable qui venait de rouler jusqu'à moi. Je traversai le salon en pestant contre Samuel à voix haute. « Bordel, si c'est une blague… », « Il ne peut pas faire des phrases comme tout le monde », ou encore « Je vais lui demander des dédommagements pour avoir troublé ma concentration créatrice… ».

J'ouvris l'épaisse porte en bois, bien décidé à traverser le jardin exotique pour atteindre la boîte aux lettres située à l'entrée de la villa, lorsque mes pieds heurtèrent un objet qui, s'il avait été plus lourd, m'aurait certainement fait descendre les quelques marches en marbre du perron d'une manière ridicule et dangereuse.

Mais il ne s'agissait que d'une enveloppe marron.

Malgré le vent chaud, malgré la litanie régulière et protectrice des vagues derrière moi, le picotement froid et électrique de la chair de poule m'envahit.

Et sans m'en douter, juste en me penchant pour attraper cette enveloppe à l'apparence inoffensive, je saisis à pleine main mes malheurs les plus précieux.

Quelle bizarrerie que celle-ci !

Après toutes ces années…

Vous allez être trois à recevoir ce récit. Trois personnages qui se sont rendus coupables, bien que de manières différentes.

L'un n'a pas entendu le chant de l'Amour : il est le sourd.

L'autre a vu, mais a eu peur : il est le muet.

Le dernier a abandonné alors que la solution se trouvait sous ses yeux : il est l'aveugle.

Vous allez découvrir ces chapitres de votre vie et très probablement croire à une mauvaise blague.

Puis, au fil de votre lecture, vous vous rendrez compte qu'il y a trop de vérités dans ces lignes pour qu'elles ne soient que pure invention.

Chacun recevra un texte sans connaître l'identité des deux autres destinataires. Je ne vais pas vous mâcher le travail, à vous de comprendre qui sont les autres coupables.

Peut-être tenterez-vous de retrouver l'expéditeur, mais, évidemment, ce sera peine perdue.

Alors, installez-vous correctement.

Ce sera douloureux parfois, mais à la fin, je l'espère, constructif.

Laissez-moi vous donner l'illusion de retourner loin en arrière, lors de ce triste été 1986.

Et c'est toi, le sourd, qui vas nous y emmener.

2

Lundi 21 août
Sept jours après avoir trouvé l'enveloppe.

Je t'imagine affalé dans ton fauteuil avec vue sur la mer. C'est ta place préférée, je le sais. Tu y aimes lire, parfois écrire, mais surtout observer l'horizon et te perdre dans la contemplation d'une vie réussie.

Je soupçonne parfois ton regard examinateur de scruter la tasse de café devant toi. Ton regard lèche alors la porcelaine à la recherche de la goutte égarée qui fera que ce café sera imbuvable. Ton fameux toc…

Ne te fatigue pas à tenter de comprendre comment je peux être au courant de ces détails personnels. Tu as écrit assez de livres pour que quiconque souhaite te découvrir puisse lire entre les lignes et supposer le reste.

Mais la véritable interrogation est la suivante : que s'est-il vraiment passé durant l'été 1986 ?

Alors es-tu prêt à entendre les voix du passé te narrer la véritable histoire ? Es-tu prêt à écouter, toi, le sourd ?

Dans ce cas, laisse-moi être l'écrivain, laisse-moi me glisser dans ta peau et utiliser ton « personnage ».

*

Laisse-moi me glisser dans ta peau et utiliser ton « personnage ».

Je tentai une nouvelle fois de donner un sens à ces derniers mots lorsque j'entendis les pas de Sarah descendre l'escalier. Ses talons claquèrent violemment contre le bois des marches. Je me demandai alors si les Louboutin fraîchement rapatriées de Paris allaient résister à la fureur de ma femme, ou si l'un des talons se briserait avant d'atteindre le rez-de-chaussée.

— Je m'en vais, prononça-t-elle simplement au pied de l'escalier.

L'allure digne et élégante. Toujours.

Même dans la tragédie.

Robe fourreau en cuir de chez Prada, celle-là même que je lui avais achetée lors d'un séjour à Rome et qui épousait comme une seconde peau les courbes de sa silhouette. Ses cheveux bruns et soyeux, rassemblés en une queue-de-cheval, auréolaient son visage anguleux.

Mais cruelle aussi. Surtout dans la tragédie.

M'imposer cette vision de perfection n'était qu'une manière à peine voilée de me montrer ce dont je devrais me passer avant que sa colère ne retombe. Et qu'elles ne reviennent, elle et sa valise, accepter mes excuses.

— Sarah, attends, on peut discuter et…

Elle pencha légèrement la tête et haussa les sourcils.

— Discuter ?

— Oui, ce n'est pas la peine de partir, parlons-en, implorai-je.

— Cela fait une semaine que je tente de discuter, ou du moins d'être écoutée. Et cela fait une semaine que je me heurte à ta surdité.

— Tu as raison, mais je…

— Tu n'arrêteras pas, nous le savons tous les deux. Toi, le célèbre écrivain, tu continueras de décrypter ces pages comme s'il s'agissait d'un palimpseste sacré et tu oublieras toute la réalité autour. Bon sang, David, ne comprends-tu donc pas qu'il s'agit d'une mauvaise blague ? Regarde-toi ! Tu te lèves toutes les nuits, tu ne dors presque plus, et le matin tu ressembles plus à un mort qu'à un vivant !

Je me redressai et quittai mon fauteuil, mais elle stoppa mon avancée d'un geste de la main.

— Non, reste là. Observe l'océan comme tu le fais depuis trop longtemps et cherches-y tes fantômes. Je reviendrai quand tu les auras trouvés. Essaie juste de ne pas te noyer.

Puis elle déplia le bras métallique de sa valise et passa la porte sans rien ajouter. Quelques secondes plus tard, j'entendis le moteur puissant de son coupé vrombir sa rancœur et s'éloigner de la villa, jusqu'à ne devenir qu'un lointain murmure, à peine une perception.

Elle est partie.

Je restai un instant debout, les bras ballants, à fixer la lourde porte en bois massif. Seules les vagues qui se brisaient en dessous de moi contre les pilotis et l'écho de ses dernières paroles assourdissaient le silence.

Elle reviendra.

Comme à chaque fois que notre couple traversait une tempête. J'ignorais ce qu'elle faisait lorsqu'elle se terrait chez ses parents. L'important était qu'elle revienne. Elle était assez intelligente pour préférer la retraite à l'affrontement. Même si la voir partir était toujours une douleur, je savais que c'était le meilleur moyen de nous aimer sans nous déchirer. Généralement, elle était de retour au bout d'une semaine. Je saurais m'excuser.

Une mauvaise blague.

C'est d'abord ce à quoi j'ai cru lorsque j'ai ouvert l'enveloppe. Une mauvaise blague.

Ensuite, c'est ce que j'ai espéré.

À lire tant de détails et d'exactitudes, j'ai souhaité de tout mon cœur qu'il s'agisse d'une tromperie, peut-être un lecteur qui désirait se payer la tête de son écrivain préféré (ou détesté).

Mais les faits relatés dans le texte étaient bien trop graves et douloureux pour n'être qu'une plaisanterie.

Alors il fallut que je lise, encore et encore.

Pour tenter de comprendre, pour percer la vérité.

C'est ce que je fis pendant une semaine. Au point d'en oublier la présence de Sarah…

Lundi dernier, en découvrant les premières pages, j'avais appelé Samuel. Et cette fois-ci, c'était ma voix qui était devenue nerveuse, presque étrangère.

— Qu'est-ce que c'est que cette connerie ?

— Je… n'en… sais… rien !

— Tu as bu ?

— Oui, et tu devrais aussi, me conseilla-t-il.

— Trois personnes ?

— Je n'ai aucune idée de qui est la troisième, et je n'ai aucune putain d'idée de qui peut se payer notre tête ! Tu as lu combien de pages ?

— Juste les deux premiers chapitres. Je ne sais pas si j'ai envie de continuer.

— Tu le feras, même si cela te dégoûte. J'en suis au sixième, j'ai arrêté et je vais me saouler jusqu'à n'être plus capable de différencier un *b* d'un *d*.

— Nos versions sont identiques ?

— Aucune idée. Vas-y, pioche des phrases du premier chapitre.

Je lus cinq phrases prises au hasard. Chaque fois, Samuel m'assura avoir les mêmes. Nos versions étaient donc jumelles. Et j'en étais le personnage principal.

— Il y a bien une raison à tout cela, murmurai-je comme un enfant réfléchissant à voix haute.

— Mieux vaut qu'il y en ait une, car si je coince le salaud qui nous a envoyé ce texte, crois-moi qu'il le regrettera. Lis-le ou débarrasse-t'en. Pour ma part, je vais trancher pour la seconde option, et faire comme si rien ne s'était passé.

— Samuel, *ça* s'est passé. Nous étions jeunes, nous l'avons laissé de côté, mais cette histoire est vraie.

— Tu fais chier ! N'oublie pas ta séance de dédicaces samedi.

Depuis cet appel, je n'avais plus eu de nouvelles.

Connaissant le caractère de mon ami, je ne m'étonnai guère. Il pouvait disparaître deux semaines d'affilée et débarquer un beau matin à ma porte avec des croissants dans les mains. « Besoin de souffler un peu ! » était alors la seule explication qui sortait de sa bouche pourtant habituellement bavarde.

Je sortis sur la terrasse et me tournai vers l'océan. Notre villa surplombait la plage. De la terrasse nous pouvions presque croire marcher sur l'eau lorsque la marée était haute. Quand l'agent immobilier nous l'avait fait visiter, je venais juste de toucher les droits d'auteur de mon premier roman. L'investissement était important, mais à raison d'un livre publié par an je pouvais espérer ne pas avoir à regretter mon achat. Et ce fut le cas. Mes deux premiers romans devinrent deux films puis deux séries éponymes. Le crédit fut remboursé rapidement. Deux cent cinquante mètres carrés de structure métallique et de verre. Trois salles de bains, six chambres, jacuzzi, des pièces de vie chacune aussi grande qu'un studio. Du bois précieux, du marbre et pour seuls voisins les vagues, les pins maritimes, les dunes et leurs gourbets. « Une véritable maison d'écrivain ! » avait lâché en guise d'argument final l'agent immobilier. Et à présent, je me retrouvais seul dans cette immense « maison d'écrivain », à fixer l'horizon et à me demander quand ma femme reviendrait.

Je fouillai du regard la surface de la plage. Mais elle était déserte. La vieille femme et son chien n'étaient pas encore passés. Aucune trace d'empreintes sur le sable vierge. Au loin, j'aperçus de longs nuages lestés de pluie qui caressaient la surface de l'eau. L'orage était prévu en fin de journée.

J'inspirai profondément l'air marin et recrachai l'air vicié de mes poumons. Il fallait que j'y retourne, je le savais. Je devais reprendre depuis le début, lire l'intégralité du manuscrit, malgré les conseils de Samuel, malgré la colère de Sarah.

Je rentrai, me rassis et attrapai le tas de feuilles posé sur la table basse. Juste à côté, une tasse encore tiède. Je la saisis, observai ses contours et remarquai une larme brune devenue traînée sèche. Comme d'habitude, cette coulure m'empêcha de savourer le café.

Ton fameux toc...

Je reposai le récipient tout en laissant courir mon regard sur la phrase d'ouverture.

« *La première fois que David vit Julie, ce fut le 12 août 1986. Il faisait si chaud ce vendredi-là que les grains de sable restaient collés sur la peau.* »

Chapitre 1

Vendredi

La première fois que David vit Julie, ce fut le 12 août 1986. Il faisait si chaud ce vendredi-là que les grains de sable restaient collés sur la peau.

Le garçon était arrivé le matin, avec sa mère et son beau-père, et s'était installé dans le pavillon 18 du centre de vacances, à Saint-Hilaire-de-Riez, en Vendée. Le même que les années précédentes. Dans sa chambre à la fraîcheur bienvenue, il avait sorti tous ses jouets, les avait installés sur la table basse en formica, disposé ses habits dans la penderie et préparé son sac de plage. Ces quelques gestes déposèrent sur son front une fine pellicule de sueur qu'il chassa d'un geste de la main. L'été s'annonçait particulièrement agressif. En descendant de la voiture, David avait remarqué que le goudron fondait déjà. Il se hâta d'enfiler son maillot de bain en pensant aux rouleaux marins qu'il entendait gronder depuis qu'ils s'étaient garés avenue des Mouettes.

Les adultes ouvrirent immédiatement les volets des différentes pièces et chassèrent la pénombre qui dormait d'un sommeil paisible. La lumière enflamma le canapé poussiéreux, les murs blafards et le lino fatigué que les précédents occupants avaient cessé de fouler à peine une heure plus tôt. Son beau-père remarqua d'un œil aguerri que le grille-pain manquait à l'appel, sans aucun doute emporté par d'anciens locataires.

— Ce n'est pas grave, tempéra sa mère, nous toasterons les tartines au four.

— Si je dis que c'est grave, ne viens pas me dire le contraire, d'accord ?

— D'accord.

La maison de vacances qu'ils louaient pour la cinquième année consécutive faisait partie d'un ensemble de maisonnettes construites en dur, que l'usine avait acquis à la fin des années trente, lors de la généralisation des congés payés. Le « paternel », comme l'appelaient les employés, le défunt père de l'actuel propriétaire, n'avait pas hésité à acheter ce quartier, ancienne caserne de la marine, et à en faire un lieu de résidence pour ses ouvriers lors des vacances d'été. À cette époque, en 1937, le nombre de personnes travaillant dans l'usine frôlait les quatre cents têtes, et ce chiffre doubla durant les tristes années suivantes. Les employés, en grande partie des femmes, ne fabriquèrent plus les tôles ou autres pièces de métallurgie, mais participèrent à l'effort de guerre en soudant, martelant et façonnant des douilles pour obus. Ce fut l'âge d'or de l'usine. La guerre terminée, le paternel remercia ses employés en leur octroyant, en plus des congés classiques, une semaine dans les résidences de l'avenue des Mouettes. Dès lors, la tradition se perpétua : chaque famille pouvait se rendre dans ces maisons construites à l'identique (une cuisine, un salon, une salle de bains, deux chambres et une petite terrasse) et situées à quelques mètres du bord de mer. Seule une habitation se différenciait des autres : celle du patron. Placée au centre du quartier pavillonnaire, elle était la plus haute, avec ses deux étages supplémentaires et son toit obtus semblable à celui d'une église, et était auréolée d'un jardin luxuriant. Régulièrement, durant l'été, un barbecue géant y était organisé, et le paternel trinquait alors avec ces employés qu'il considérait comme des amis, sinon comme sa propre famille.

David aida son beau-père à décharger la voiture, une Super 5 beige à laquelle l'adulte vouait un véritable culte. Il transporta des sacs de nourriture et des cartons remplis de bouteilles d'alcool, qui tintèrent entre elles d'un son grave, telles les cloches sonnant le glas.

— De quoi tenir pendant une semaine, ça m'aidera à vous supporter ! maugréa l'homme en fermant avec tendresse et application le coffre de la Renault.

Une semaine.

Une semaine hors de la cité HLM.

Une semaine à pouvoir sortir le soir, à se coucher à pas d'heure, à courir dans le sable, à manger des glaces et à traîner avec Samuel.

Une semaine à s'asseoir sur la plage et à observer autre chose que les murs fatigués des immeubles voisins.

— J'ai pensé à ton cahier de vacances ! lança sa mère depuis la cuisine.

OK.

Une semaine à tenter d'échapper au cahier de vacances. « C'est de bonne guerre », s'avoua le garçon en s'équipant de son sac à dos.

Il sortit de sa chambre, croisa le regard vide de son beau-père qui, affalé sur le canapé, les pieds posés avec nonchalance sur la table basse, avait déjà une bouteille de Kronenbourg à la main, et rejoignit sa mère.

— M'man, je peux aller chez Samuel ?

— Oui, vas-y. Tu te rappelles quelle maison c'est ? lui demanda-t-elle, le dos tourné, penchée au-dessus de l'évier à vérifier la vaisselle.

— La 27, affirma-t-il fièrement.

— Pas de bêtises, hein. Et dis à son grand frère que s'il tente encore de vous faire fumer des cigarettes, il aura de sérieux problèmes.

— D'accord.

— On se retrouve à la plage à 11 h 30. Tu as ta crème solaire dans ton sac ?

— Affirmatif, chef. Crème, casquette, serviette, tuba, palmes et masque de plongée. Paré pour les grands fonds !

— Tu m'as entendue tout à l'heure ? s'enquit-elle en saisissant un torchon pour s'essuyer les mains. J'ai pensé à ton cahier de vacances !

Mais lorsqu'elle se retourna, David avait disparu. Comme chassé par un sort ancestral.

Aussitôt après avoir quitté la maison, le jeune garçon retira ses sandales pour fouler de ses pieds nus le ciment du trottoir, que le vent marin avait recouvert de sable. Ce contact chaud et grenu lui procura un sentiment de bien-être. Il avança ainsi, en tenant ses chaussures d'une main, et une sensation impérieuse de liberté dans l'autre, le long de l'avenue des Mouettes.

Face à lui, les dunes, qui marquaient la fin du territoire de la route goudronnée et annonçaient celui de la plage, s'approchaient lentement. Il pouvait déjà deviner la fraîcheur de l'eau et entendre vrombir les vagues. L'air devenait plus lourd, épaissi par le sel et l'odeur marquante des algues marines.

L'avenue des Mouettes. L'unique route qui desservait ce coin légèrement isolé longeait les pavillons et terminait sa course vers la plage, aussi subitement qu'un éclair perdu dans le ciel. Sa réalité devenait virtuelle, disparaissant sous le dégradé conquérant des grains de sable qui semblaient progressivement fuir la plage et s'avancer un peu plus dans les terres. David remarqua que cet été encore, ce monstre affamé avait avalé le goudron avec une frénésie et un appétit plus important que les autres étés.

Il se promit de vérifier cette théorie plus tard, en se rendant dans le « quartier fantôme » avec Samuel, cet alignement de maisons en front de dunes que plus personne ne pouvait occuper. Chaque année, la plage ensevelissait un peu plus cette première ligne d'habitations. Ses grains s'amoncelaient en pente pesante contre les fondations, s'élevaient jusqu'aux vitres que leur poids brisait et glissaient à l'intérieur pour prendre entièrement possession de ce territoire jadis réservé aux hommes. Les adultes parlaient de vent et d'érosion, et du coût trop important que cela représenterait de détruire ces pavillons. Les enfants quant à eux rêvaient de soldats microscopiques qui progressaient en troupe compacte pour reprendre les positions des géants armés de casquettes, de crème solaire et de mots croisés.

David bifurqua sur sa gauche, passa entre deux rangées de thuyas qui lui fournirent une ombre rafraîchissante, respira leur parfum si particulier et accéléra sa cadence lorsqu'il s'approcha de la maison aux allures d'église. Son rythme cardiaque s'intensifia, mais il ne put s'empêcher de lancer un regard en direction de l'épaisse porte d'entrée en forme d'ogive, autour de laquelle des plantes asséchées tentaient désespérément de s'accrocher à l'aide de leurs griffes végétales. Le soleil implacable avait depuis longtemps tari toute source de vie du jardin à présent en friche, et à la base des nombreuses fenêtres s'était regroupé, en tas incertains, du sable que personne ne prenait soin de retirer. Des oripeaux de peinture s'écaillaient des volets en bois sombre et la grille d'entrée haute d'un mètre arborait des taches de rouille laissées par le temps et le vent salin. Malgré la chaleur, David ressentit une pointe glaciale lui piquer la colonne vertébrale et pria pour que Samuel ait oublié leur promesse de l'année dernière. Car c'était ici que, selon le grand frère de son meilleur ami, la femme du propriétaire actuel, Éléonore Vermont, s'était pendue à la poutre du hall plusieurs étés auparavant.

Beaucoup prétendaient qu'elle n'avait pas toute sa tête. On affirmait que, lors des barbecues d'été, la femme de M. Vermont Junior errait au milieu des convives d'un air absent. Son visage relâché faisait alors penser au masque de cire d'un automate aux gestes saccadés. Puis, ses paupières clignaient de nouveau, ses mouvements redevenaient naturels, ses rides d'expression réapparaissaient et on l'entendait répéter d'une voix de petite fille « c'est une belle soirée, non ? » sans vraiment reconnaître les personnes à qui elle s'adressait. Sa folie avait un nom à consonance allemande : alzheimer. Ce kraken pris au piège dans l'océan céphalorachidien de cette pauvre femme avala lentement le moindre de ses souvenirs. Voilà ce que se disaient les adultes une fois revenus de ces soirées lorsque, fatigués ou honteux de leurs moqueries étouffées, ils prenaient conscience que cette maladie risquait un jour ou l'autre de se lancer à l'abordage de leurs propres esprits. Les employés plaignaient alors en silence Paul Vermont et le saluaient, de retour à l'usine, avec une certaine tristesse dans la voix.

Mais la version que Fabien préférait raconter à son frère et à David, en général tard le soir, était tout autre. Car selon lui, d'autres témoins, plus imaginatifs, plus saouls ou alors trop effrayés par la promiscuité dangereuse que cette explication scientifique dénonçait, tinrent une version davantage empreinte de mysticisme et de folklore. Ils affirmaient que le bruissement du vent avait porté jusqu'à cette femme les complaintes torturées des pirates noyés et à jamais prisonniers de l'épave de leur bateau. Depuis les fonds marins, ces malheureux pleuraient leur destin en pensant reconnaître en Mme Vermont la déesse protectrice que leur vaisseau tant redouté arborait jadis à sa proue. Tous ces appels à l'aide lui avaient fait perdre la raison au point qu'elle s'était pendue. Depuis son suicide, ajoutait le grand frère en prenant une voix lugubre, chaque soir de pleine lune, on pouvait voir son fantôme arpenter le jardin, aussi blanc et luminescent que les algues phosphorescentes des mers lointaines.

David craignait Fabien. Pas seulement parce que – oui, il fallait bien l'avouer – cette histoire qu'il leur racontait l'effrayait particulièrement (il ressentait un certain malaise lorsqu'il passait près de la maison du patron), mais aussi pour cette violence qui émanait parfois de son regard. Pas souvent, pas longtemps. Mais ses yeux se mettaient alors à briller et un feu incendiaire semblait prendre vie à l'intérieur de lui, surtout après quelques bières. Ses paroles devenaient plus brutales, emplies d'une violence que tout leur village natal connaissait.

La mère de David aimait beaucoup Samuel, mais elle aussi se méfiait de son grand frère. Pour elle, ce n'était qu'un voyou. En revanche, son beau-père l'appréciait et l'invitait de temps à autre à boire un verre dans leur HLM. Après tout ils travaillaient tous les deux à l'usine. Cela leur faisait un point commun. Le second était qu'ils détenaient en eux le même degré de violence. Un degré assez important pour réaliser leur plan et entraîner avec eux d'autres gars de l'usine. Bien sûr, cela, David ne le comprit que quelques jours plus tard.

Ce fut Samuel qui ouvrit la porte, lui aussi déjà muni de son sac à dos. Il était légèrement plus grand que David. Ses oreilles quelque peu décollées lui avaient valu des railleries à l'école, mais ses poings fougueux avaient depuis longtemps fait taire les moqueurs, même les plus âgés.

Les deux garçons se tapèrent dans la main en guise de salutation et partirent immédiatement en direction de la plage. Ils reprirent en sens inverse le chemin qu'avait parcouru David, et celui-ci ressentit un soulagement lorsqu'il n'entendit aucune remarque tandis qu'ils dépassaient la maison du fantôme. Peut-être son meilleur ami avait-il oublié sa promesse…

— Ton frère n'est pas là ? lui demanda-t-il pendant que la maison de Mme Vermont et de sa folie disparaissait derrière eux.

— Si, dans sa chambre. Il défait ses sacs et ne voulait pas être dérangé, maugréa Samuel. Il est un peu bizarre en ce moment.

— Fabien, bizarre ? Quelle surprise ! railla David.

— Mouais… disons plus que d'habitude. Il a beau être un vrai con, c'est mon frère, et en ce moment je le trouve étrange.

Ils coupèrent par la rue des Galées, retirèrent leurs sandales alors qu'ils croisaient les premiers grains échoués sur la chaussée.

— Toi aussi tu as eu droit à un cahier de vacances ?

— Il n'y a que ta mère pour penser à ça ! s'amusa Samuel. Moi, mes parents s'en foutent. Ils disent que je travaillerai à l'usine de toute manière. Comme mon père et comme mon frère.

— Tu as un ballon ? coupa David alors qu'ils traversaient le parking situé à l'extrémité de l'avenue des Mouettes.

— Ouais, dans mon sac. Ton connard de beau-père est en forme ?

— Comme d'hab.

— Tu ne rêves jamais d'être aussi fort que lui et de lui mettre une rouste à ton tour ?

— À peu près toutes les nuits !

Ils arrivèrent à la plage qui leur parut plus large que l'année précédente. Leurs pieds s'enfoncèrent dans la dune blanche tandis que des roseaux leur caressaient les jambes. Les garçons attendaient ce moment depuis un an. Ils recroquevillèrent leurs orteils dans le sable, comme pour l'attraper un peu plus, comme pour tester la réalité de leur bonheur. À cet instant, les cours de M. Deleporte, leur maître d'école aux sourcils broussailleux, leur semblèrent très loin. Tout comme les halls de HLM et leur odeur de pisse. Ou comme la peur de se retrouver cloisonné dans un appartement avec la violence d'un adulte.

Seul un sentiment d'immortalité bouillait dans leurs veines.

Il n'y avait pas beaucoup de monde à cette heure-ci. Les deux amis choisirent une place à proximité des enrochements. Ils passèrent non loin d'une femme qui lisait une histoire à une petite fille d'à peu près leur âge. Celle-ci se retourna à leur passage et leur adressa un geste de la main pour les saluer. De concert, Samuel et David baissèrent la tête, accélérèrent la cadence et ignorèrent la fillette blonde. Arrivés à destination, ils s'assirent sur les lourdes pierres et fixèrent un instant la danse immuable de la mer qui s'allongeait devant eux.

Seul David osa un bref regard en direction de l'inconnue qui s'était retournée et semblait à présent boire les paroles de la vieille dame.

Il ne le savait pas encore, mais ce seul regard changerait sa vie à jamais.

*

Je décidai de faire une pause dans ma lecture.

Je me levai et me traînai vers la cuisine où j'insérai une capsule dans la machine et me fis couler un café. Le ciel avait beau se colorer d'une teinte grisâtre et les nuages étirer leurs barbes sur l'horizon, je sentis la sueur m'inonder le dos.

Voilà une semaine que ces pages me brûlaient les yeux. C'était comme fixer le soleil sans aucune protection jusqu'à ce que la réalité autour ne devienne que formes abstraites et taches sombres.

Est-ce que je retardais l'inéluctable ? C'était la quatrième fois que je parcourais ces lignes sans réussir à entamer le huitième chapitre.

Je saisis ma tasse, vérifiai qu'aucune goutte de café ne souillait la porcelaine et retournai dans mon fauteuil pour continuer ma lecture. Je connaissais désormais le début du récit par cœur. Cependant, j'eus le sentiment qu'il fallait que je fouille encore davantage entre les mots pour en percer la vérité. La vieille femme ne s'était toujours pas montrée. Peut-être étais-je trop concentré pour la remarquer. Ou peut-être m'étais-je endormi. Parfois j'avais l'impression que la réalité m'échappait. J'étais fatigué. Je ne prenais plus la peine de me coiffer le matin. Toute la journée, j'arpentais la maison à la recherche de repères. Je fumais cigarette sur cigarette et j'ignorais quand cette dépendance à la décrépitude s'était déclarée. Lundi ? Mardi ? Plus tard ?

Une multitude de questions me martelaient l'esprit mais aucune réponse ne venait soulager mes incertitudes.

Alors je replongeai dans ces lignes, au risque de m'y noyer complètement comme l'avait prophétisé Sarah.

Mais à cet instant, j'ignorais que ma femme aurait raison.

Chapitre 2

Les enfants profitèrent de cette liberté jusqu'à ce que la mère de David et son beau-père arrivent à leur tour à la plage. Ils déjeunèrent d'un pique-nique et les visages des deux amis se fermèrent comme deux huîtres effrayées par des pêcheurs. Ils se baignèrent, jouèrent au foot en essayant de prendre les bonnes décisions et d'éviter ainsi les remontrances de l'adulte. Puis, repu de bières et de victoires faciles, son beau-père ne fit plus attention à eux. Alors, David sortit de son apnée pour retrouver un peu d'oxygène et de bonne humeur. Les deux amis discutèrent de sport, chantonnèrent The Final Countdown *sans en connaître une seule parole, rêvèrent de la NES, cette console de jeux annoncée l'année suivante et qui devait détrôner l'Atari 2 600 de Samuel (à condition que Fabien les laisse y jouer) et se promirent en se crachant dans la main de faire leur première séance de spiritisme en rentrant. Samuel poussa cette dernière idée encore plus loin en suggérant de laisser le téléviseur allumé comme dans le film* Poltergeist, *histoire de voir si les esprits pouvaient réellement les contacter à travers les crépitements électriques d'un tube cathodique.*

Puis ils s'étendirent sur leur serviette et fermèrent les yeux.

Bercés par les cris des mouettes rieuses, les deux garçons s'endormirent alors que le soleil entamait son déclin.

Lorsque David se réveilla, il crut tout d'abord que la voix féminine qui, durant son sommeil, lui murmurait des paroles qu'il ne comprenait pas totalement s'était échappée de sa rêverie pour résonner dans la réalité. Le souvenir évanescent de cette sirène apparue dans son rêve perdura quelques secondes, jusqu'à ce qu'il ouvre les yeux et comprenne d'où provenait réellement cette voix.

Une silhouette brûlée dans le disque du soleil, penchée au-dessus de lui, fit son apparition. Il plissa les paupières pour attendrir la clarté et il reconnut celle qui, quelques heures plus tôt, l'avait salué de la main, cette fille à laquelle aucun des deux garçons n'avait eu le courage de répondre.

— Ce n'est vraiment pas sympa ! répéta-t-elle d'une voix lourde de reproches.

David se dressa sur les coudes, s'extirpant péniblement de sa léthargie, et chercha Samuel ou sa mère du regard, mais ne les vit nulle part. Il comprit qu'il était cerné, qu'il devait affronter seul cette tête blonde qui le fixait en attendant une réponse.

— Quoi ? Qu'est-ce qui n'est pas sympa ? balbutia-t-il, la bouche pâteuse.

— Tout à l'heure. Je vous ai salués. Vous n'avez pas répondu. Tatie dit qu'on doit toujours répondre à un geste de gentillesse.

— Je... on a répondu..., prétexta-t-il pour mettre un terme à cette discussion malvenue.

— Menteur en plus de ça !

La petite fille le fixait de ses yeux vert clair. Il s'y perdit quelques secondes et eut l'impression de replonger dans son rêve tant il s'y sentait bien. Autour de ce visage juvénile, des cheveux mi-longs semblaient capter toute la lumière du soleil pour la rendre plus dorée encore.

— Bon... OK... Ce n'était pas sympa... Désolé.

David prit conscience qu'il n'aurait pas le dernier mot, que cet épi de blé (il venait de remarquer des taches de rousseur disséminées sur son visage) ne le lâcherait pas tant qu'il continuerait de répondre. Il y a des personnes qui se nourrissent de cela. Elles posent des questions, absorbent vos réponses qui sont autant de combustible pour les questions à venir. Elles pompent votre énergie en vous forçant la parole.

Il se redressa, le visage rougi, et commença à plier sa serviette en pestant intérieurement contre la disparition de Samuel. À croire qu'il avait été aspiré par des sables mouvants ! Son meilleur ami l'avait pourtant averti de son départ. Mais le demi-sommeil dans lequel il était plongé lui avait fait oublier ce détail. À moins que la sirène et son chant à fort pouvoir amnésique rencontrés dans sa somnolence en fussent réellement la cause.

À quelques mètres, la vieille dame que la bavarde surnommait Tatie l'observait avec amusement.

— Tu t'en vas maintenant ?

— Oui, je dois rentrer... On m'attend, mentit David.

— Tu reviens à la plage demain ?

Une partie de lui lui intimait de répondre non. Cette fille gâcherait à coup sûr les moments de silence si importants entre amis. Et que dirait Samuel en apprenant qu'une inconnue intégrait leur binôme si précieux, si suffisant ?

— Oui, répondit-il, sans en avoir réelle conscience.

— Au fait, je m'appelle Julie, annonça celle qui lui sourit alors.

Mais David avait déjà tourné le dos pour se diriger vers l'entrée de la plage. Il mit un temps à assimiler le prénom que cette fille lui avait précisé aussi facilement. Julie. Il était persuadé d'avoir entendu « jolie ». Il sourit sans savoir pourquoi, ressentit le désir de se retourner une dernière fois pour l'observer et admit que ces deux mots, celui prononcé et celui entendu, quoique différents, lui allaient parfaitement.

Sur le trajet du retour, le jeune garçon se surprit à répéter du bout des lèvres ce prénom. Julie. Il le murmura d'un ton joyeux, puis sérieux, charmeur, hilare. Pour chaque incantation, il ressentait un plaisir coupable. De quoi se mêlait-elle, cette pipelette ? Comment pouvait-on engager la conversation avec un étranger d'une manière aussi naturelle ? Il ne lui semblait pas l'avoir vue les années précédentes. Ses parents travaillaient-ils aussi à l'usine ou n'était-elle qu'une simple touriste ? Quel âge pouvait-elle avoir ? Autant de questions qu'il mourait d'envie de lui poser. Cependant, cela lui imposerait non seulement de combattre sa timidité, mais aussi de s'exposer et de montrer ouvertement à cette Julie l'intérêt soudain qu'elle venait d'éveiller en lui. Sans doute en rirait-elle et se moquerait-elle de lui. « Hors de question ! » clama-t-il en décidant d'oublier très vite cette rencontre. Pourtant, rien – ni l'odeur des saucisses cuites au barbecue qui flotta dans l'air alors qu'il dépassait le pavillon des Vinçon (le meilleur soudeur de l'usine selon son beau-père), ni même la voiture de gendarmerie tournant au ralenti qu'il croisa sans s'en rendre compte – ne chassa la jeune fille de son esprit. Il avançait tel un somnambule le long de l'avenue des Mouettes. Le soleil lançait ses dernières forces, les mouettes se firent plus discrètes au point de les oublier. David eut l'impression que l'été lui-même venait de changer, de prendre une consistance étrange, jusque-là inconnue. « Est-ce cela, grandir ? » se demanda-t-il sans arriver à comprendre pourquoi il ressentait à la fois de la tristesse et de la joie.

Le deuxième passage du véhicule de gendarmerie ne détourna pas plus l'attention du jeune garçon. À son volant, un agent auxiliaire, originaire de Saint-Hilaire et affecté pour juillet et août à la gendarmerie saisonnière de la petite ville balnéaire, patrouillait depuis maintenant plus de deux heures. Son supérieur lui avait donné pour consigne d'effectuer le trajet depuis le centre-ville jusqu'au camping du Bois Tordu pendant tout l'après-midi. Henri connaissait cette route par cœur. Il l'avait maintes fois parcourue à vélo durant l'été, du temps où il était encore libre, quand le drapeau national ne représentait pour lui qu'un simple mât sans bateau. Il s'agissait souvent de rendre visite à des filles du camping, de belles étrangères dont il ne comprenait que les rires.

Puis le service militaire, sur les pas de son oncle pour qui on ne plaisantait pas avec les couleurs de la France.

Et maintenant, affublé d'un képi dont le frottement du tissu mêlé à la sueur lui laissait de ridicules traces rouges sur le haut du front, il reprenait la route de ces années heureuses en pestant contre le soleil qui cognait encore fort contre la tôle de la Renault R4.

Et il avait beau se concentrer, il n'entendait plus aucun rire.

D'ailleurs, il n'en entendrait plus aucun durant de longues années.

Chapitre 3

Lorsqu'il poussa la porte du pavillon, David fut accueilli par des paroles feutrées, presque murmurées. Les hommes étaient installés dans le salon, assis autour de la table basse, chacun un verre à la main. Quand ils le virent, tous se turent, comme s'ils venaient d'être pris en flagrant délit. Puis son beau-père les rassura – « c'est qu'un môme, il ne comprend rien » – mais le silence perdura jusqu'à ce qu'il disparaisse de la pièce, à peine troublé par le « salut morveux » lancé par le frère de Samuel.

Dans l'assemblée, David reconnut trois hommes qui travaillaient à l'usine. Il aurait été incapable de poser un prénom sur leur visage, mais ils étaient déjà venus chez lui. L'un d'eux lui avait même offert un livre pour son anniversaire. En découvrant l'exemplaire de L'Île au trésor, *le garçon s'était dit qu'il aurait préféré avoir cet inconnu comme beau-père, plutôt que ce « Billy Bones » qui semblait s'être échappé du récit de Stevenson pour lui pourrir son quotidien.*

Tandis qu'il traversait la pièce en sentant les regards pesants des adultes, il aperçut celui qui, assis à l'extrémité du canapé, lui fit baisser les yeux et accélérer sa fuite.

Le Rouquin.
La cicatrice.
L'habitant du « quartier fantôme ».

David retint son souffle jusqu'à ce qu'il atteigne la cuisine. En sécurité, il rouvrit les yeux et s'appuya contre le mur, encore tremblant. Un court instant, il lui sembla que ce mur et la maison entière tanguaient telle la cale puante d'un navire négrier. Puis les impressions se dissipèrent tandis que les hommes reprenaient leurs conversations.

Qu'est-ce que le Rouquin faisait ici ? S'il y avait une personne au monde que David et Samuel souhaitaient croiser le moins possible, c'était bien lui. De tous les adultes qu'ils connaissaient, de tous les travailleurs de l'usine, le Rouquin était celui qui les effrayait le plus. Ce n'était pas un géant, loin de là, il était plutôt petit par rapport à son beau-père. Mais plus solide, sans aucun doute. Ses bras épais, ses mâchoires toujours crispées et ses yeux bleu acier intimidaient quiconque s'en approchait. Il imaginait déjà la réaction de Samuel lorsque demain, il lui annoncerait que le Rouquin se trouvait chez lui. Son meilleur ami en frissonnerait, c'était certain !

Sa mère, qu'il n'avait pas vue immédiatement, trop occupé à chasser de son esprit la vision de cette cicatrice flamboyante, se trouvait debout, immobile, appuyée contre l'évier. Elle ne remarqua même pas sa présence. Sa main droite, qui tenait une cigarette dont la cendre menaçait de tomber sur le lino, pendait le long de sa cuisse comme un membre inutile.

Des assiettes remplies de biscuits apéritifs trônaient sur la table, en attente d'être distribuées, orphelines de toute attention. Son visage était tourné vers l'extérieur et David comprit qu'elle fixait, à travers la fenêtre, la maison du patron. La bâtisse se dressait à une cinquantaine de mètres de là, droite comme une stèle. L'enfant se demanda à quelle version sa mère croyait. La folie ou le fantôme. Il se dit qu'il ne l'avait jamais entendue en parler. Mais ce qui intrigua David, fut la manière avec laquelle elle observait la maison. Il eut l'impression que son esprit tout entier était aspiré par ses murs obscurs. Elle lui sembla à ce moment littéralement absente, presque sortie de son corps, comme si elle cherchait à se réfugier quelque part, loin des discussions des hommes à côté.

— M'man, ça va ?

Battement de cils. Sa main reprit vie. Son corps se détacha de l'évier pour atteindre la table et secouer la cigarette au-dessus du cendrier.

— Oui, ça va. Tu es déjà là ?

Elle semblait surprise de le voir rentrer si tôt, et il perçut comme un reproche dans sa voix. Elle se tourna vers lui, se baissa à son niveau de sorte que leurs regards se trouvaient exactement en face l'un de l'autre, comme le parfait reflet d'un miroir. Il devina à travers ses yeux fatigués et rougis que sa réponse n'était que mensonge. Ça n'allait pas. Les veinules de ses iris étaient gonflées d'avoir pleuré. Sa mère avait depuis longtemps cessé de combattre la violence. Elle s'y était habituée. Elle l'avait acceptée à force de fausses excuses. Des « il n'est pas si méchant » ou

« parfois je le mérite », ces placebos à la vérité dont elle s'automédiquait pour ne plus avoir à lutter.

Et cela fonctionna.

Au point de ne plus protéger son fils de sa propre tristesse et de l'afficher ainsi, sans même essayer de la cacher, sur son visage fatigué.

Aussi naturellement qu'un sourire.

Ce soir-là David comprit que passé une certaine frontière de malheur, les adultes n'arrivaient simplement plus à mentir. Sa mère se redressa et s'égara de nouveau au-dehors. Elle donnait l'impression de ne pas vouloir être ici, maintenant, avec eux, dont le tintement des verres avait repris comme par magie. Et lorsqu'il prit conscience que peut-être elle n'avait pas plus envie d'être ici, maintenant, avec lui, il se retint de pleurer.

— C'est qui tous ces gens ? articula difficilement David en ravalant ses larmes.

Sa mère se redressa, fixa de nouveau la maison et répondit sans le regarder – attitude que pourtant elle lui reprochait quand il agissait de même avec le boulanger du quartier :

— Ton beau-père a réuni quelques amis, ils ont à parler de choses sérieuses. Le mieux est que tu ailles dans ta chambre pour le moment. Prends une assiette de biscuits et un jus d'orange. Je viendrai te chercher quand ils auront terminé.

Le garçon observa un instant sa mère. Il perçut la lumière qui s'éteignait discrètement dans son regard. Alors, il se contenta d'obéir.

Une fois sa porte fermée, ses larmes purent couler sans crainte, et David s'allongea sur le lit en tenant fort le coussin contre lui. Il resta ainsi de longues minutes. À travers les branches du pin vert qui obstruait la fenêtre de sa chambre, il observa la lune dichotome s'élever lentement. Il s'essuya les yeux, grignota un biscuit, et se réjouit que l'astre ne fût visible qu'à moitié. Car, si sa mère se tenait toujours immobile dans la cuisine à scruter la maison, il n'avait aucune envie qu'elle y aperçoive la silhouette errante de la déesse des pirates.

Plus tard dans la soirée, le jeune garçon se réveilla. Il avait rêvé de sa mère et d'un nuage menaçant au-dessus d'elle. Elle se trouvait dans le jardin de la maison du patron. Sa robe se prenait et se déchirait dans les griffes des ronces tandis qu'elle se dirigeait vers l'océan, comme attirée par des voix sous-marines. Il chassa ces images en pensant au lendemain, à la plage, à Samuel, aux glaces italiennes que proposait tous les ans le vendeur ambulant, qui tirait sa charrette dans le sable avec autant de difficultés que s'il s'agissait d'un âne récalcitrant.

C'est à ce moment que son estomac lui réclama de quoi le nourrir. Il chercha à tâtons l'assiette de biscuits en se rappelant en avoir laissé quelques-uns. Cependant son geste resta en suspens quand il entendit des paroles dans le salon. Il reconnut les voix de ses « parents ». Il devait être tard et les invités avaient sans aucun doute vidé les lieux. David se concentra pour tenter de comprendre ce que disaient les adultes. Il crut percevoir des larmes, puis des bribes de phrases – « vous êtes cinglés », « cela ne changera rien », « vous risquez de gros problèmes » –, mais les reproches de sa mère furent immédiatement circonscrits par le son brûlant d'une gifle punitive.

Un autre claquement sec.

Puis des pas.

Une porte fermée violemment.

Les grincements nauséabonds du matelas durant de longues minutes.

Des râles de moins en moins étouffés.

Puis le silence.

Aussi pesant et inconfortable qu'une nuit trop chaude.

Alors, comme il avait coutume de le faire dans ces moments-là, David chercha des images positives dans lesquelles se réfugier, des images susceptibles d'effacer sa tristesse.

Et à sa grande surprise, ce fut le visage de Julie qui le borda jusqu'au sommeil.

CHAPITRE 4

Samedi

Le lendemain, ce fut Samuel qui vint frapper au pavillon de David.

Déjà vêtu de son short de bain et d'un tee-shirt, le jeune garçon terminait son bol de céréales, seul, assis dans la cuisine. Il s'était levé tôt, voulant fuir dans la lumière matinale la nuit inconfortable qu'il venait de passer. Les adultes paressaient toujours au lit. Il était à peine 10 heures, mais la chaleur ralentissait déjà les gestes et s'immisçait par la moindre ouverture, rampant comme un serpent à travers le jour des portes et des fenêtres.

David observa la maison du patron comme l'avait fait sa mère la veille. Il s'y perdit un instant, hypnotisé. Sa cuillère de corn flakes resta en suspens au-dessus du bol, attendant patiemment que la réalité reprenne vie. La pelouse autour de la maison avait jauni. Ses longues tiges s'élevaient vers le ciel comme autant de piques acérées. La lourde chaîne mordue par le cadenas d'acier qui entravait la porte d'entrée luisait telle une menace. La totalité des fenêtres du rez-de-chaussée avaient été condamnées par des planches tandis que celles du premier étage se trouvaient obstruées par de simples volets à barrettes. L'été dernier, Samuel avait émis l'idée de se faufiler par ces entrées-là.

— Il suffirait d'atteindre l'étage, par la gouttière ou avec une échelle. Je suis certain que ces vieux volets sont mal accrochés.

— Tu tiens vraiment à visiter une maison hantée ? lui avait demandé David, pas très rassuré à l'idée de s'introduire en pleine nuit dans l'antre de la pendue.

— Tu crois à ces histoires ? Elle était malade, c'est tout. Faut pas écouter tout ce que raconte mon frère. L'année prochaine on tente le coup.

— OK, j'emmènerai tout de même mon pack à protons, au cas où, sourit David.

— Super ! Et moi je prendrai de l'ail et un crucifix, on ne sait jamais.

Le jeune garçon vida le reste de son petit déjeuner dans l'évier. Il y déposait son bol et sa cuillère, et allait préparer son sac de plage lorsqu'il entendit les coups sur la porte d'entrée. Quelques instants plus tard, les deux amis marchaient d'un pas alerte le long de l'avenue des Mouettes.

— Tu ne parles pas, ça va ? demanda Samuel.

— Pas trop bien dormi, prétexta David. Cette chaleur... ça change de la cité.

— Mon frère était chez toi hier soir. Il est rentré un peu saoul.

— Oui je sais, une sorte de réunion. Devine qui d'autre était là.

— J'en sais rien... La pendue ?

— Très drôle. Le Rouquin, précisa David en fixant son meilleur ami qui s'arrêta net.

— Sérieux ?

— Je ne l'avais jamais vu chez mes parents, du moins pas pendant les vacances. Ce type me fait vraiment flipper, ajouta David.

— Et moi donc !

Les deux enfants ignoraient d'où provenait leur peur. Ou plutôt, ils ne savaient pas exactement ce qu'ils trouvaient le plus effrayant chez cet homme. Son regard ? (« Tu as vu ses yeux ? On dirait qu'ils ne bougent jamais. Ils sont froids. On dirait les yeux d'un reptile ! » avait un jour remarqué Samuel.) Sa cicatrice ? (« Mon frère dit que le Rouquin a eu cette cicatrice lorsqu'il était encore enfant. Son père était saoul, en colère, il lui a tenu le visage et a cassé le cul d'une bouteille de bière puis s'en est servi pour lui taillader la joue. ») Ses cheveux ? (Au Moyen Âge, les roux étaient considérés comme des envoyés du diable, avait appris Samuel en feuilletant un livre d'histoire.)

Toutes ces possibilités, même réunies, n'auraient guère suffi à imprégner en eux une peur si grande. Il fallait autre chose. Un critère plus impérieux encore, qui ferait tressaillir l'estomac des garçons à chaque fois qu'ils croiseraient le regard vide de cet homme.

Et ce furent les adultes qui, de manière involontaire, le leur fournirent.

Par leurs attitudes.

Par leurs silences, lorsque le Rouquin entrait dans une pièce.

Par leurs regards fuyants quand celui-ci leur parlait d'un ton sec.

Ce ne furent pas les peurs des enfants qui forgèrent la figure du Rouquin dangereux et sanguinaire. Mais celles des adultes. Car à plusieurs reprises les enfants s'en étaient rendu compte : tous le craignaient. Comme une meute face au loup alpha. Même le beau-père de David se mettait en retrait en sa présence. Idem pour Fabien, qui avait un jour, le visage blême, prévenu son frère de ne pas trop s'en approcher. Aucune raison précise n'avait été annoncée. Juste un avertissement. Presque une requête.

— Tu sais de quoi ils parlaient ? demanda Samuel, curieux de savoir pourquoi tous s'étaient réunis dans une pièce au lieu de profiter de la lumière de fin de journée.

C'était la coutume pendant les vacances. L'apéritif. Les bières. Le barbecue. Les jardins des pavillons ne désemplissaient jamais. Ou seulement pendant les jours de pluie, où les familles se recroquevillaient tels des escargots en maudissant la météo de pourrir leurs vacances.

— Aucune idée ! répondit immédiatement son ami qui préféra passer sous silence les phrases énigmatiques qu'il avait entendues alors qu'il se trouvait allongé sur son lit.

Ils s'installèrent sur la plage, au même endroit que la veille. Ils étalèrent leurs serviettes, vissèrent leurs casquettes et s'enduisirent de crème solaire comme ordonné par les autorités familiales. Une troupe de bécasseaux passa non loin d'eux. Les volatiles fouillèrent le sable quelques instants, à la recherche d'insectes aquatiques, puis se déplacèrent avec légèreté le long de l'estran. Leurs pattes frêles, à peine plus épaisses que des brindilles, semblaient plantées dans un corps gonflé à l'hélium. Leurs sifflements se mêlèrent aux pleurs plus rauques des goélands argentés nichés en haut de la plage, au creux des rochers. David se méfiait particulièrement de ces oiseaux. La faute à un film en noir et blanc sur lequel il était tombé par hasard un après-midi pluvieux. On y voyait des hommes attaqués par toute sorte de volatiles – pas seulement sur la plage, mais aussi en centre-ville et même à l'intérieur des maisons – dont de nombreux goélands au ventre bombé. Depuis, il préférait s'éloigner de ces becs menaçants.

Face aux deux garçons, l'océan inondait l'horizon. Les vagues semblaient posséder plus de force que la veille. Elles s'abattaient avec un bruit différent, plus lourd, plus guttural. Avec plus de détermination également. Comme si leur souhait était de frapper fort le sable afin d'effrayer les touristes. Mais au contraire cela les amusait. Les enfants sautaient avec joie au-dessus des rouleaux. Les parents faisaient mine d'être emportés par le courant et la mer se retirait pour tenter de nouveau sa chance. Sa colère stérile durerait toute la journée. Jusqu'à ce que la lune le délivre et lui procure un repos bien mérité.

— Regarde, elle est encore là.

David dirigea son attention vers l'entrée de la plage, à l'endroit que, d'un mouvement de tête, son meilleur ami venait de lui indiquer. Il plissa les yeux pour lutter contre la clarté agressive du soleil qui aplatissait la moindre silhouette puis, finalement, l'aperçut. Julie marchait dans leur direction, un sac à dos à l'épaule. Derrière elle, la vieille femme tentait de suivre le rythme, mais à voir le teint rougeâtre de son visage et les gonflements réguliers de ses joues, pas certain qu'elle y arriverait longtemps. Finalement, elle abdiqua. Elle déposa son panier à proximité des garçons, laissant Julie continuer son avancée sans la quitter des yeux. Quelques secondes plus tard, la jeune fille se planta devant eux, posa son sac sur le sable chaud et en sortit une longue serviette qu'elle étala par terre.

— Ce n'est vraiment pas sympa ! déclara-t-elle une fois son installation terminée.

Elle se tenait debout, fière et conquérante, défiant leur silence et leur incrédulité, les poings posés sur ses fines hanches. Ses cheveux blonds avaient été rassemblés en une queue-de-cheval qui dévoilait la ligne parfaite de son cou.

Cette phrase. Encore. David savait que cela ne servait à rien de demander ce qui n'était pas sympa. Que Julie l'expliquerait tout de suite après avoir posé les premières briques d'une conversation qu'elle construirait elle-même. Mais bien entendu, cela, Samuel l'ignorait.

— Qu'est-ce qui n'est pas sympa ?

Julie cessa de fixer David pour poser son regard émeraude sur Samuel. Elle sembla contrariée que ce fût ce garçon-là qui posât la question.

— Tout d'abord je vous ai salués hier, expliqua-t-elle après un soupir. Et pas un n'a répondu. Ensuite j'ai discuté avec ton ami. Je lui ai donné mon prénom, et lui, il a tourné le dos comme si je l'avais insulté. Voilà ce qui n'est pas sympa.

— Oh ! Gente demoiselle, lança Samuel d'un ton théâtral, en se levant pour faire face à cette inconnue, veuillez excuser mon ami, c'est un grand timide !

Je m'appelle Samuel et cet imbécile qui est assis à observer ses doigts de pieds, c'est David. Enchanté !

— Je m'appelle Julie, répondit-elle, le visage grave, en serrant la main qu'on lui tendait. Est-ce que ton imbécile d'ami va me serrer la main avec les pieds également ?

David leva les yeux au ciel, se demandant s'il n'était pas encore en train de dormir et de rêver cette scène qui se jouait devant lui, et se redressa à son tour, tendant une main qu'il n'aurait souhaitée pas aussi moite et tremblante.

La jeune fille la serra doucement, sembla la retenir quelques secondes avant de la délivrer, puis annonça fièrement à son auditoire :

— Parfait, maintenant que les présentations sont faites, nous pouvons devenir amis !

Et tous les trois s'assirent.

Et tous les trois se sourirent.

Tatie observa les enfants.

Elle devint le témoin privilégié de ce pacte invisible et silencieux qu'ils venaient de signer sans s'en rendre compte. « Car les grandes amitiés naissent ainsi, en un simple sourire », se dit-elle en enviant leur jeunesse. Elle les vit se lever à l'unisson pour atteindre l'océan. Elle entendit leurs rires à travers les rouleaux.

Finalement, ses craintes s'envolèrent.

Bien sûr elle se devait d'être prudente. Tatie avait parfaitement conscience de cela. Tout comme elle se souvenait des consignes. Mais à ce moment-là, il lui sembla que la décision prise avait été la bonne, malgré ses doutes des premiers instants. La vieille femme quitta l'horizon de l'océan pour se tourner en direction des silhouettes droites et basses des maisons de l'avenue des Mouettes. Il devait sans aucun doute regarder lui aussi. Derrière une fenêtre, tapi dans la pénombre. Appréciait-il autant qu'elle le spectacle ? Se réjouissait-il de la tournure des évènements ? Que faisait-il au juste lorsque la nuit tombait ? Tatie ne se serait jamais risquée à lui poser ouvertement ces questions. « Il y a des voix qu'il est préférable de laisser au fond de l'eau, voilà tout », s'avoua-t-elle en reportant son attention sur les enfants.

Quinze minutes plus tard, la vieille femme fouilla dans son panier pour y saisir une pomme ainsi que le journal Ouest-France *qu'elle avait acheté plus tôt en se rendant à la plage. Elle hésita un instant à proposer des fruits et des biscuits aux enfants, mais y renonça, préférant ne pas troubler leur tranquillité. D'ailleurs, elle ne les entendait plus. Ils étaient tous trois allongés sur leurs serviettes, nez vers le ciel, repus d'amitié. Elle ouvrit le quotidien par la dernière page afin de trouver directement les mots fléchés qu'elle affectionnait tant, se munit d'un stylo et entama la grille.*

Si Tatie avait posé les yeux sur la première page du journal au lieu de le retourner sans y prêter attention, elle y aurait découvert un visage.

Et en voyant ce visage, elle aurait eu peur.

Très peur.

Peut-être aurait-elle décidé de tout arrêter, de ne plus croire à la possibilité d'une promesse, de séparer Julie de ses amis, en lui donnant comme insuffisantes explications des paroles désordonnées que l'enfant n'aurait de toute manière pas comprises. Ou peut-être, soucieuse des heures heureuses que vivait la petite fille, aurait-elle simplement resserré sa surveillance, en limitant les heures à la plage, ou en raccourcissant le temps de promenade le soir avant le dîner.

Ce qui était certain, c'était qu'en voyant le visage à la une, Tatie aurait trouvé sans s'en douter la réponse à une de ses questions.

Elle aurait pu savoir ce qu'il faisait lorsque la nuit tombait.

Et la réponse l'aurait glacée d'effroi.

CHAPITRE 5

Mardi

Deux jours passèrent.

Les trois enfants ne se quittaient plus.

Ils arpentaient côte à côte la plage et l'avenue des Mouettes, épaule contre épaule, le plus souvent Julie placée au milieu des deux garçons.

Comme un trésor à protéger.

La plupart du temps, ils se rendaient à la plage. De nombreux touristes fraîchement débarqués s'étaient décidés à profiter eux aussi de l'endroit. Les parasols poussaient comme des champignons multicolores, les ballons roulaient entre les serviettes de bain, et le soleil brûlait les peaux pas assez protégées.

La mère et le beau-père de David ne faisaient que rarement des apparitions. Pourtant, les autres années, ils venaient toujours avec lui. Sa mère restait des heures au soleil à parfaire un bronzage destiné à rendre jaloux le HLM tout entier et lui alternait baignades, jeux de raquettes ou partie de foot sur la plage avec des collègues de l'usine.

David trouva cela étrange de les voir si peu. Mais son inquiétude s'effaça rapidement quand il prit conscience que cela lui permettait de profiter pleinement de ses deux amis.

Les trois enfants s'amusèrent à donner des noms incongrus aux différentes familles rassemblées autour d'eux. Ils se moquèrent également de certaines, en pouffant à l'unisson lorsqu'ils apercevaient une famille tongs-chaussettes avancer péniblement. Ils restèrent des heures ainsi, à se promettre de ne pas vieillir, à se jurer de ne jamais ressembler à ceux qu'ils dénonçaient. Puis, lorsque la plage se vidait lentement, ils quittaient leur emplacement pour chercher des trésors imaginaires sous l'estran de la marée basse. Ils enfonçaient leurs mains dans le sable humide et, à défaut de pièces d'or ou de pierres précieuses (« Pt'être qu'on va tomber sur le trésor de Willy le Borgne ! »), découvraient haricots de mer, coques, pignons, moules ou même crabes.

Julie intégra le duo avec un naturel désarmant. À croire qu'ils l'attendaient depuis toujours. Lundi, en fin d'après-midi, alors que tous trois observaient leur butin de pêche dans un seau en plastique, Samuel se décida à prononcer la question que les deux garçons se posaient depuis leur rencontre avec la jeune fille :

— Tu viens d'où ? demanda-t-il en continuant de compter les coquillages.

Julie mit un certain temps à répondre. À vrai dire, elle n'était pas certaine que la question eût été formulée réellement. Peut-être s'était-elle échappée de son esprit comme une évidence qu'elle savait inéluctable. Elle fut d'ailleurs surprise que la curiosité de ses amis ne se soit pas déclarée plus tôt. Elle savait ce qu'elle devait dire. Aussi énonça-t-elle à regret :

— De Bordeaux.

— Bordeaux ? C'est loin ?

— Non, pas trop.

— Tu as des frères et des sœurs ?

— Non.

— Tes parents ne travaillent pas à l'usine alors ?

— Non, répondit-elle laconiquement, avant de se reprendre : De quelle usine parles-tu ?

— Vermont Sidérurgie. Nos parents y travaillent. Mais ce n'est pas à Bordeaux. J'y travaillerai certainement aussi plus tard, lorsque j'aurai atteint l'âge, expliqua Samuel.

— Toi aussi, David ?

La jeune fille essayait tant bien que mal de dévier l'attention. Elle ressentit l'envie de courir en direction de Tatie, installée à l'écart du petit groupe.

— Je ne sais pas, répondit David qui avait délaissé le butin de la journée pour fixer l'horizon. C'est tellement loin « plus tard »... Je n'ai pas trop envie en fait... J'aimerais découvrir des pays étrangers...

— Un vrai pirate celui-là ! s'amusa son ami. Bon, on va remettre tout ça à l'eau, il n'y a rien qui ressemble à une pièce d'or !

Samuel bascula le seau en plastique au-dessus de la mer puis le rinça pour éliminer le dépôt de sable. Les trois enfants remontèrent la plage en direction de leurs serviettes. Tatie commençait à plier bagage, il était temps de rentrer.

— Tes parents, ils font quoi ?

« Finalement, voici le moment tant redouté... », se dit Julie, qui pensait en avoir terminé avec les questions de Samuel. C'est en partie pour cela

(une infime partie, il y avait également son regard, sa sensibilité, tout un monde à découvrir) qu'elle ressentait une étrange affection pour David. Il ne parlait pas souvent, comme s'il était respectueux des secrets de chacun. Lui, il n'aurait jamais posé cette question. Il se serait contenté de ses silences. Samuel, au contraire, avait besoin de certitudes. Et les curieux sont toujours ceux qui s'exposent le plus aux mensonges.

— Ils sont morts, murmura-t-elle.

*

Je me levai nerveusement de mon fauteuil en y abandonnant ma lecture. J'allumai une cigarette et arpentai le salon en sachant pertinemment que les prochaines phrases que délivreraient ces pages me seraient de plus en plus douloureuses.

« Ils sont morts. »

Je me souvenais de ces paroles. De ce moment. De ce sentiment indistinct.

Du soleil mourant.

De la plage qui se vidait.

De la mer qui se retirait.

De cette nature qui semblait, tout comme moi, ne pas vouloir entendre la suite.

Je revoyais ses cheveux blonds battus par le vent marin, que je n'osais observer que du coin de l'œil. Leurs mouvements saccadés m'avaient fait penser à la voile déchirée d'un navire en perdition, cela aussi était gravé dans ma mémoire.

En sortant sur la terrasse, je ressentis les mêmes frissons que ceux qui m'avaient parcouru à cette époque. Je me souvenais très bien de mon état lorsque Julie avait prononcé cette phrase : j'étais paralysé. Tout mon corps s'était figé. Mes pensées aussi. Échouées sur le rivage de cette phrase qui semblait n'avoir aucun sens.

La mort n'est pas crédible pour un enfant. Ce n'est qu'une ombre qui ne possède aucune substance réelle, une anomalie qui n'a pas sa place dans l'imaginaire d'un gosse de douze ans. Les parents vivent, se séparent, certains disparaissent sans donner signe de vie à leur progéniture, mais on sait, on le ressent au fond de nous, qu'ils sont là, quelque part, et qu'ils vivent.

Pour essayer de comprendre et de partager ce que ressentait Julie, j'avais tenté d'imaginer ma mère morte. Mais je n'y étais pas arrivé. Alors je m'étais contenté de fixer l'océan. Et les vagues avaient égrené nos silences comme les aiguilles d'une vieille horloge poussiéreuse égrènent la solitude.

À présent, face à ces mêmes vagues, je ne comprenais que trop bien ce qu'elle avait pu ressentir. Ma mère avait combattu son cancer quelques années, mais avait finalement été vaincue. Dans ses derniers jours, allongée dans son lit d'hôpital, le teint aussi blanc et vaporeux que la fumée de cigarette qui lui avait lentement inoculé la maladie, j'avais revu ce regard que je n'avais plus croisé depuis des années. Ce regard surpris alors que je rentrais de la plage et que les conversations des hommes dans le salon renaissaient dans mon dos.

La résignation que j'y avais lue était le reflet de celle exprimée par Julie, deux jours plus tard.

Cette résignation à ce que je nommerais le soir même, dans la solitude tourmentée de ma chambre, « les premières morts ». Je compris à cet instant de ma jeunesse que d'infimes parties de nous mouraient continuellement. Que des souffrances qui ne s'étendraient jamais complètement usaient le corps et l'esprit jusqu'à l'abandonner dans une chambre aseptisée ou au bout d'une corde. La vie en était pleine, de ces premières morts. Elles faisaient de nous des fantômes. Mme Vermont en était devenue un. Ses premières morts à elle, c'était la disparition lente et progressive de ses souvenirs. Elles l'avaient usée au point de se pendre.

Ma mère quant à elle, mourait à chaque fois que mon beau-père la giflait ou l'insultait. Elle mourait encore plus lorsque c'était sur moi que ses mains s'abattaient. Et les évènements de cet été 1986, qui s'acharneraient avec autant de virulence qu'une maladie, allaient infecter à de nombreuses reprises nos joies de vivre.

Je soufflai bruyamment avant de rallumer une cigarette. Au loin, de longs nuages filandreux s'étiraient vers la mer. La pluie arrivait. Le vent se fit plus violent, me chassant de la terrasse. À l'abri, loin de l'orage et de Julie, mes pensées se tournèrent vers Sarah, le seul point d'ancrage solide qui émergeait de cette tempête. Que faisait-elle ? Quand reviendrait-elle ? Je ressentis une puissante envie de l'appeler, de m'excuser, de la serrer contre moi. Je saisis mon portable et le fixai un instant. Derrière moi, les premières gouttes s'échouèrent contre la baie vitrée. Rapidement, le faible chuchotement se mua en une pluie agressive. Le vent transforma pour un instant son murmure discret en un souffle lugubre qui tourna autour de la maison comme pour y trouver un accès.

Je savais que si j'implorais Sarah de revenir ce soir, je ne pourrais pas terminer ma lecture. D'ailleurs, la première chose qu'elle ferait serait de brûler ces pages en me faisant promettre d'oublier toute cette histoire. Je ne pus m'y résoudre. Il fallait que je continue, que je revive ces « premières morts » afin de comprendre. Je reposai le téléphone, et retournai m'asseoir. Au-dehors, la mer tourmentée arborait la même teinte grise que le ciel. Ce camaïeu subtil rendait difficile le fait même de pouvoir les dissocier, comme si les deux matières avaient décidé de n'en former qu'une. Cette image était la parfaite copie de cette photographie d'Hiroshi Sugimoto que Sarah avait acquise à un prix démentiel lors d'une exposition à Paris. Nous nous étions organisé un week-end dans la capitale (durant ces deux jours, j'étais donc sorti de ma bulle afin de fêter avec elle la sortie de mon troisième roman) et avions arpenté les galeries d'art les plus prestigieuses, en quête d'élément de décoration pour « réchauffer un peu cet amas de métal et de verre », selon ses propres paroles. À peine l'avait-elle vue que Sarah en était tombée amoureuse. Elle devinait dans le gris perle de cette photo argentique intitulée *Ligurian Sea* des métaphores multiples et poétiques : la perte des repères, le temps qui passe, la fusion parfaite entre deux entités… Moi, je me contentais d'acquiescer en hochant la tête, tout en cherchant du regard un prix qui n'apparaissait nulle part. Lorsque le galeriste, après nous avoir récité la biographie de l'artiste japonais, nous murmura le prix de l'œuvre (plusieurs dizaines de milliers d'euros), Sarah me fixa avec détermination et assassina toute opposition en affirmant simplement : « Cette photo sera parfaite dans notre chambre à coucher. »

En repensant à cette photo (qui d'ailleurs n'attirait plus mon regard comme lors des premières semaines suivant son acquisition), je me dis que cette vision grise, à la fois poétique et inquiétante, ressemblait peut-être à ce qu'apercevait Mme Vermont lorsque son errance l'attirait près du rivage de l'avenue des Mouettes. Je l'imaginais marcher d'un pas mécanique depuis sa maison, cherchant à deviner la provenance de ces supplications qui lui torturaient l'esprit, la projetant *entre deux mondes*, vers cet endroit mystérieux où les voix des défunts se confondent avec celles des vivants, où l'horizon spectral ne délimite plus le ciel de la mer.

— Imbécile, pestai-je en repoussant loin de moi ces croyances infantiles. Elle s'est pendue pour échapper à la maladie. Ce n'est pas maintenant que tu vas prêter foi à cette histoire de fantômes !

Je repris ma lecture en décidant d'en terminer le plus rapidement possible, pour me débarrasser de ma frayeur grandissante mais aussi pour assouvir la curiosité malsaine qui l'accompagnait. Je jetai un dernier coup d'œil vers la mer et sa substance blafarde, persuadé que bientôt le vent tournerait et qu'un arc-en-ciel viendrait auréoler l'horizon.

Pensée que je regrettai rapidement. Car je me souvins que du temps des pirates, un arc-en-ciel n'était pas seulement un signe de beau temps.

Il indiquait également l'emplacement d'un chemin reliant le monde des vivants à celui des morts.

*

Julie évoqua alors, le regard éteint, la disparition de ses parents dans un accident de voiture, neuf ans auparavant. « Je n'étais pas avec eux. Je les attendais chez ma tante. Je ne me souviens de rien, ni de leurs visages, ni de leurs voix. »

Depuis elle vivait près de Bordeaux, chez cette tante, une femme riche qui, faute de pouvoir l'accompagner durant les vacances, l'autorisait à partir avec Tatie, la femme de maison.

Les trois enfants assis côte à côte au pied des vagues contemplèrent le soleil se noyer dans la mer. David écouta le récit avec une boule grandissante fermement bloquée dans la gorge. Il resta silencieux, remarqua que le pied de Julie touchait presque le sien, et qu'un grain de sable posé près de sa cheville réfléchissait plus que les autres la lumière du jour mourant. Chacun d'eux aurait souhaité que ce moment durât pour l'éternité.

Puis, Samuel rompit le silence et se raconta à son tour. Non pas qu'il souhaitât réellement le faire. Seulement, il savait que David ne prendrait pas la parole, à moins de longues minutes de supplications. Et le jeune garçon jugea plus urgent de parler que d'attendre. Comme pour poser un pansement sur les paroles de Julie. Ainsi, il parla de son frère, de sa violence et de sa passion pour la bière. De ses parents, qui ne voyaient pour lui qu'un avenir ponctué de bruits de machine et de mains tachées d'huile. De l'usine, où presque tous les membres masculins, et certains membres féminins, de sa famille travaillaient. Il ponctua son récit d'anecdotes qui rendirent le sourire à leur amie. Il raconta la soirée où David et lui avaient fait le mur pour se rendre à la salle d'arcade du Bois Tordu, un camping situé plus loin sur la côte. Son frère dormait d'un sommeil enivré et n'avait à aucun moment entendu les tentatives maladroites des enfants pour ouvrir la fenêtre de la chambre, puis la porte d'entrée devant laquelle Fabien était affalé, leur bloquant le passage. Les deux amis s'étaient repliés vers les toilettes, où à force de contorsions et de fous rires étouffés, ils étaient parvenus à sortir par la petite fenêtre. Il décrivit les ampoules multicolores, les jeux vidéo, les flippers, la musique poussée au maximum, les jolies filles toujours trop âgées et l'odeur de barbe à papa comme un pirate décrirait un trésor légendaire.

— On pourrait le faire, suggéra Julie, heureuse d'éloigner l'ombre de ses parents de la conversation.

— Faire quoi ? demanda David qui ne cessait de fixer ce grain lumineux.

— Le mur ! Pour aller au Bois Tordu ! Il ne nous reste que quatre jours à passer ensemble, moi aussi je veux voir ces lumières !

— Je ne sais pas si…

— Venez dormir chez moi, reprit la jeune fille. Tatie s'endort très tôt le soir, elle prend des médicaments. Elle dort si profondément que souvent elle passe la nuit sur le fauteuil et que la télévision ne la réveille même pas !

— C'est une bonne idée ! s'exclama Samuel. Elle a raison ! Pourquoi pas demain ? Mon frère doit aller chez toi, David, c'est ce qu'il m'a dit ce matin. S'il rentre aussi saoul que la dernière fois, il ne se rendra même pas compte de mon absence. De toute manière,

il ne vient jamais vérifier dans ma chambre. Dis à ta mère que tu dors à la maison, elle dira oui.

David réfléchit quelques minutes, sourd aux encouragements de ses amis. Sa décision avait été prise à l'instant où Julie avait proposé son plan, mais il aimait particulièrement faire mariner Samuel. Et malgré les années d'amitié, celui-ci se laissait toujours avoir.

— Je ne suis pas certain que...

— Allez David, c'est les vacances ! l'implora son meilleur ami.

— Oui, mais...

— J'ai suffisamment d'argent de poche pour essayer toutes les nouvelles bornes d'arcade ! renchérit-il.

— Je ne sais pas...

— Space Harrier, Bubble Bobble, Out Run, Arkanoid...

— Allez David, ne fais pas ton peureux, lui lança Julie en lui donnant un léger coup d'épaule. Ce n'est qu'un petit mensonge...

Le jeune garçon jugea qu'il était temps de cesser sa comédie. Il prononça enfin le libératoire « ça marche » qui arracha un cri de joie à Sam.

David, quant à lui, sentit une étrange chaleur enivrer son corps quand il remarqua que le grain doré s'était rapproché de son pied au point de le toucher.

Avril 1986

Paul Vermont s'installa à son bureau.

Depuis que son comptable lui avait présenté la faillite prochaine de l'usine, il passait des nuits difficiles à tenter de comprendre, à essayer d'entrevoir une lueur d'espoir à travers le voile opaque de la fatalité. Les différents entretiens avec les banques avaient cependant confirmé les prédictions. Ce qui devait rester un secret, du moins jusqu'au mois de septembre, avait malheureusement fuité et alimenté la rumeur. Il s'était déjà entretenu avec le délégué du personnel, l'avait rassuré, falsifiant la vérité comme il aurait aimé pouvoir le faire avec les chiffres du comptable. Mais la feuille de papier qu'il tenait entre les mains démontrait que la rumeur n'avait pas cessé. Au contraire même, elle grossissait comme une tumeur et les regards suspicieux se multipliaient à chaque fois que Paul parcourait les travées de l'usine.

On disait des habitants du village qu'ils étaient des gens simples. La géographie, l'histoire, l'économie avaient façonné des êtres au caractère entier. Loin de la superficialité des grandes agglomérations, loin de ces voisins qui, conscients de faire partie d'un lieu privilégié, marchaient la tête haute en défiant le soleil et le malheur des régions rurales. La population d'ici, elle, marchait la tête basse. Observant cette terre qu'elle savait peu prospère. Crachant parfois dessus pour la maudire. Cherchant dans ses sédiments la quelconque trace d'une graine d'espoir. Et c'est ce que le patron leur avait donné, quelques années auparavant, en reprenant l'usine. Cet homme que les employés aimaient tant. Il avait réussi à leur faire relever la tête. En leur offrant des emplois, en leur offrant une raison de se lever le matin, en injectant de la fierté dans leurs regards. En leur donnant à leur tour l'occasion de défier le soleil.

Un dernier été, pensa Paul Vermont.

Il n'y avait plus personne dans l'usine. La journée était terminée depuis longtemps et les cartes de pointage toutes compostées. Paul aimait rester tard. Encore plus ces derniers temps. Et puis, c'était différent une usine le soir. Comme une bête qui sommeillait. Les odeurs étaient là, l'impression de puissance que dégageaient les grosses machines également, mais c'était le silence et le calme qui régnaient avant tout. Cela devait ressembler au répit qui suivait les grandes batailles. À ces trêves impromptues durant lesquelles les belligérants pouvaient enterrer leurs morts sans risquer d'être abattus. Ce silence assourdissant que demain, dès l'aube, le personnel foulerait de ses pieds de combattant du quotidien.

Le directeur tourna les pages. Il compara les chiffres. Additionna les factures. Consulta les maigres commandes. Le soleil s'endormait tranquillement par la large fenêtre. Il observa un instant ce spectacle, les chiffres dansant dans son esprit telles des sorcières shakespeariennes.

Il déplia une nouvelle fois l'étrange lettre qu'il avait reçue ce matin. Il la relut, fronçant les sourcils, serrant les poings. Qui avait pu écrire cela ? Qui pouvait déjà être au courant ? Paul n'était pas homme à se laisser intimider. Des pressions, il en avait subi toute sa vie. Tout d'abord celles liées au fait de reprendre l'usine du paternel. Beaucoup s'étaient attendus à ce qu'il se casse la gueule dès les premiers mois. Les fournisseurs avaient tenté de revoir leurs prix à la hausse, les employés avaient murmuré le souhait d'un salaire augmenté, un concurrent lui avait prédit une disparition rapide s'il n'acceptait pas son offre de rachat… Puis avec la chute du marché et l'apparition des entreprises de l'Est, Paul Vermont avait dû lutter contre la pression des banques et de son comptable qui lui conseillaient de licencier. Finalement, avec le suicide de sa femme, le poids des remords tenta à son tour de le faire chavirer.

En vain.

Jusqu'à aujourd'hui.

Il ferma les yeux un instant. Une odeur d'algues fraîches lui mordit la mémoire. Un autre soleil se déploya dans une autre région, au-dessus de pavillons de vacances, au-dessus d'une maison aux allures d'église. Sa main droite abandonna les touches de la calculatrice, fit mine d'ouvrir un portillon invisible. Il pouvait ressentir le crissement des grains de sable sous ses chaussures de sécurité. Paul remonta l'allée et traversa le jardin alors que s'élevait face à lui celle que tout le monde surnommait « la maison du patron ». Ses pieds gravirent les marches en bois. Le son chaleureux des cris d'enfants défiant les vagues, attrapant les ballons, repoussant les cerfs-volants résonna au loin. Il approcha de la porte ogivale d'un noir d'ébène. Il l'ouvrit, il savait ce qu'il allait y trouver, mais l'ouvrit quand même. Paul regarda le sol tandis que des pépites de poussière dorées fêtaient son arrivée et que des grains de sable endormis roulaient paresseusement. Il ne voulait pas lever les yeux. Mais dans cette maison onirique, il le fit. Il croisa les pieds de sa femme qui se balançaient dans l'air, pendue à l'imposante poutre porteuse de la pièce principale.

— Patron, j'ai fermé les portes et… Patron ?

Le Rouquin venait de faire irruption dans le bureau. Lui seul pouvait se permettre d'entrer ainsi, sans frapper. Il fit mine de ne pas voir les larmes couler le long des joues de l'homme assis devant lui. Il déposa les clefs sur le bureau comme il le faisait chaque soir, après avoir vérifié tous les accès et mis les fours géants de l'usine en veille. Face au mutisme de son patron – il n'osait penser ami, les deux hommes étaient bien trop marqués par la vie pour se laisser aller à ce genre de sentiments – il décida de quitter la pièce sans ajouter un autre mot. D'ailleurs, il n'avait guère besoin d'explications : Franck savait d'où provenaient ces larmes. Il était aux côtés de Paul Vermont lorsque celui-ci avait découvert le corps de sa femme.

C'était lui qui l'avait décrochée de la poutre.

Cependant, alors qu'il posait la main sur la poignée de la porte, il entendit son patron prononcer ces paroles :

— L'été approche, Franck. Tu te souviens de ta promesse ?

Chapitre 6

Mercredi

Le lendemain matin, David se réveilla vers 10 heures, heure à laquelle d'habitude il se rendait chez Samuel.

La nuit avait été difficile.

La veille, en rentrant de la plage, le garçon avait pris sa mère dans ses bras. Il l'avait serrée si fort qu'elle s'en était inquiétée.

« Tout va bien ? » lui avait-elle demandé alors qu'il restait silencieux, lové contre elle. Il tenait son visage fermement appuyé contre son ventre, comme si, par ce simple contact, il pouvait quitter cet univers où les parents mouraient pour retrouver l'antre rassurant qui l'avait abrité durant neuf mois.

Puis, finalement, il releva la tête, et sa mère chassa sa tristesse d'un baiser sur le front. « Barbecue ce soir. Va prendre ta douche, je te prépare ton assiette. »

Le dîner se déroula en silence. Le garçon était pressé de quitter la table. Il n'avait qu'une envie, se retrouver seul. Seul avec le souvenir de son pied touchant celui de Julie. Seul avec le souvenir de la joie qu'elle avait exprimée lorsqu'il avait accepté l'aventure du lendemain. Seul avec l'excitation de se rendre tous les trois sous les lumières du Bois Tordu.

Il laissa les adultes face à la télévision.

Un cauchemar.

Dans la maison du patron, où des flammes épaisses rongeaient les murs.

David se tenait debout, face au cadavre en lévitation qui souriait de le voir là, au milieu d'une tempête de feu. La peau de ses pieds nus se décollait sous l'effet de la chaleur. Mais elle continuait de sourire, tanguant lentement au bout de sa corde, et ses yeux fous fixaient le garçon sans tressaillir. Partout autour de lui voletaient des feuilles de papier. Sur chacune d'entre elles, le même visage photocopié se décomposait, se tordant, s'enroulant sur lui-même avant de s'enflammer et de disparaître en pellicule de cendre fine et sombre. « Écoute les murmures des fantômes », prononça la femme de M. Vermont à travers des lèvres sèches qui se craquelèrent, leur fine peau libérant le long de son menton un liquide blanc et sanguinolent.

David se réveilla en sueur, le souffle court, les cheveux plaqués contre son front fiévreux. Le jour pointait déjà derrière les branches du pin vert. Il mit quelques minutes à recouvrer ses esprits, hésitant entre hurler ou pleurer. « Putain de merde », lança-t-il comme exorcisme aux images qui flottaient toujours dans sa tête. Il n'arrivait pas à se débarrasser du visage de son cauchemar – pas celui de la pendue, bien que celui-ci fût assez effrayant pour venir le hanter plus tard, jusqu'à son adolescence, mais l'autre, plus jeune et imprimé sur les feuilles. Il lui semblait l'avoir déjà croisé, ailleurs que dans ce cauchemar, dans la réalité, mais il n'arrivait pas à se souvenir à quel endroit exactement.

Il se leva, enfila son short de bain et un tee-shirt en se convainquant qu'il se trompait. Existe-t-il un passage, comme l'arc-en-ciel des pirates, mais en plus sombre et plus froid, qui mène de la réalité aux cauchemars ? Et pire encore, les créatures qui se trouvent enfermées dans nos peurs les plus profondes pourraient-elles l'emprunter et faire chemin inverse ?

David se rendit aux toilettes puis alla dans la cuisine pour prendre son petit déjeuner. Il remarqua immédiatement l'absence de sa mère. Il ne sut l'expliquer, mais à peine la porte de sa chambre franchie, il avait deviné qu'elle ne se trouvait pas dans la maison. Il trouva son beau-père à l'endroit exact où sa mère se tenait la veille. Appuyé contre la gazinière, une cigarette à la main, il fixait lui aussi la bâtisse obscure et n'esquissa aucun mouvement ni aucune parole lorsque le garçon le salua.

David attrapa son bol préféré dans l'évier, le rinça puis y versa le lait et les céréales. Il commença à manger en silence, en prenant bien soin de ne pas faire de bruit quand il avalait, car il savait que l'adulte détestait ça. Trois cuillères plus tard, son beau-père prononça ses premières paroles.

— Ta mère est folle, tu le sais ?

David ne répondit pas. Ce n'était pas une véritable question. Ce n'était pas la première fois que cela arrivait. Et il savait quoi faire. Ignorer. Se plonger la tête dans la mer pour ne pas entendre les murmures des vivants.

— Si tu veux devenir un homme, tu ferais mieux de m'écouter moi, et pas elle. Les femmes ont toujours fait des enfants, mais jamais des hommes.

Le garçon se retrancha dans son monde. Il songea Julie, Bois Tordu et guirlandes multicolores. Il repoussa les flammes que l'existence de cet homme engendrait continuellement.

— Tu m'entends ?

Une vraie question cette fois-ci. Mieux valait répondre. Sortir la tête de l'eau, juste pour y prendre un peu d'air…

— Oui, répondit-il docilement.

— Ta mère est folle. Tu m'as compris ?

— Oui.

— C'est une putain de timbrée qui finira par se pendre comme l'autre si je ne m'occupe pas d'elle, affirma l'homme en détachant son regard de la maison.

David abandonna ses céréales et serra sa cuillère jusqu'à ce que ses phalanges deviennent blanches. Il connaissait la violence de l'adulte. Il était conscient que cette discussion n'avait qu'un seul but : l'écouler. Même dans l'oreille de l'innocence. Surtout dans l'oreille de l'innocence.

— Qu'est-ce que tu as entendu l'autre jour, quand nous étions dans le salon ? reprit-il en écrasant sa cigarette dans le cendrier que personne n'avait vidé depuis des jours.

— Rien.

— Vaut mieux. Je n'aime pas les curieux. Si jamais tu as entendu quelque chose et que tu en parles à quelqu'un, ça fera très mal, tu comprends ?

— Oui. Mais je n'ai rien entendu.

— Parfait alors !

Son beau-père se dirigea vers le salon. À cet instant, David desserra sa prise et relâcha la cuillère. Sa main commençait à lui faire mal. Mais le fait de le voir partir et d'être débarrassé ainsi de sa violence rendit la douleur presque joyeuse. Cependant, l'adulte n'en avait pas terminé avec le garçon. Il se figea avant de quitter la pièce, puis se retourna en observant le gamin.

— C'est qui ta petite copine ?

Les flammes gagnèrent en intensité. Elles brûlèrent les murs, la table de la cuisine, emplirent l'atmosphère d'odeurs de bois et de plastique noirci. L'air devint irrespirable à l'instant même où son beau-père évoqua Julie.

— C'est... ce n'est pas ma petite copine, protesta David.

— Tu l'as embrassée ?

— Arrête...

— Tu lui as touché les seins ?

— Arrête, putain de merde !

Il ne prit réellement conscience de ses paroles qu'après les avoir prononcées. Mais cette fois-ci l'incantation du garçon n'exorcisa pas le démon présent dans la pièce. Au contraire. Le mouvement de l'adulte fut rapide. Sur sa joue gauche s'abattit, non pas les extrémités souples et fugaces des phalanges, mais une paume épaisse et lourde. Sous la violence du coup, David recula d'un bon mètre, le tympan sifflant comme une théière oubliée sur le feu. Un goût de sang se mêla aussitôt à celui du chocolat. Hébété, il retrouva ses esprits alors que le bourreau se trouvait toujours face à lui, droit et sombre comme cette maison au-dehors.

— Ne me reparle jamais sur ce ton. Sinon la prochaine fois je fermerai le poing. Et nettoie toute cette merde !

David regarda l'endroit que venait de lui indiquer son beau-père. Sur la table, le bol de lait et de céréales avait débordé de tous côtés. Des larmes chocolatées mêlées à des grumeaux de céréales coulaient tout autour et atteignaient la base. Un cercle parfait se dévoila lorsque David leva le bol pour le poser dans l'évier. Mais avant de le rincer, il le garda quelques instants en main.

C'était son bol préféré.

Pour tout adulte, il ne s'agissait que d'un récipient blanc, avec l'image d'un singe en chocolat virevoltant dans les arbres. Mais pour lui, c'était aussi la dernière surprise que lui avait faite sa mère. Elle avait en secret attendu d'avoir cumulé suffisamment de preuves d'achats sur les boîtes de céréales pour le commander. Puis, un matin, elle l'avait déposé soigneusement à côté du jus d'orange. Et avait fait comme si de rien n'était. David avait marqué un temps d'arrêt face à ce bol dont il n'avait exprimé le souhait qu'une seule fois, convaincu que personne n'y ferait attention. Mais la preuve était là, devant lui. La preuve que sa mère entendait toujours ses murmures. Le plastique immaculé du récipient précisait que tout était intact. Que l'amour que sa mère lui portait n'était en rien atténué par la présence de l'autre. Il avait prononcé un merci ému et l'avait prise dans ses bras, exactement comme il le ferait un mois plus tard en rentrant de la plage après que Julie aurait évoqué la terrible disparition de ses parents.

Et maintenant, entre ses mains, ce bol n'avait plus rien de cette preuve d'amour. Des larmes obscènes défiguraient la mimique joyeuse du singe.

David s'éloigna de l'évier et se dirigea vers la poubelle. Il y déposa le bol avec douceur, l'observa un court instant, gravant dans sa mémoire ce symbole d'un moment parfait qui venait d'être souillé à jamais.

Sans se douter un instant que ce fantôme le poursuivrait toute son existence et toquerait à la porte de sa conscience à chaque fois qu'il boirait un café...

3

Mardi 22 août

Cette fois, ce fut le tonnerre qui m'extirpa de ma lecture. Un craquement lugubre, bien plus menaçant encore que le hurlement du vent un peu plus tôt, résonna dans le ciel.

Je n'avais pas de souvenirs exacts de cet incident avec le bol. Je ne m'étais d'ailleurs jamais imaginé que mon fameux toc ait une explication si concrète. Les gifles, les insultes, la solitude, tout cela était de notoriété publique depuis mon premier livre. Il avait suffi à l'auteur de ces lignes de piocher ici et là la violence de mon enfance pour la recopier et l'utiliser. Mais, si je ne pouvais en reconnaître la véracité, je ne pouvais toutefois pas nier la possibilité que les évènements se soient déroulés de la sorte. Et puisque pour l'instant, tout ce que j'avais lu semblait fidèle à la réalité, il n'y avait aucune raison pour que la description de cette matinée soit différente. Avais-je oublié avec le temps ? Certainement. Et cette perspective me troublait. Car quelle autre vérité allais-je découvrir dans les prochaines pages ? Quel fantôme de mon passé allais-je voir jaillir de l'océan ?

Je relevai la tête pour observer l'orage et ressentis immédiatement une douleur électrique dans la nuque.

Mes cervicales souffraient d'avoir été suspendues d'une manière aussi nerveuse au-dessus des pages. J'effectuais quelques mouvements de rotation afin de détendre muscles et articulations lorsque le téléphone sonna. Je me levai d'un bond – nouveau courant électrique qui me fit pousser un borborygme de douleur – pour répondre et entendre la voix de Sarah (car oui c'était elle, ce ne pouvait être qu'elle, elle arrivait, elle revenait et ensuite la tempête s'essoufflerait tandis que j'ouvrirais la porte d'entrée pour la serrer dans mes bras). Mais alors que je m'imaginais déjà la couvrir d'excuses, ce fut Samuel qui me parla :

— Tu en es où ?

Tout simplement. Ce coup-ci, pas d'explications ni même de croissants. À croire que nous nous étions quittés quelques minutes plus tôt.

— Bordel, c'est tout ce que tu as à dire ? Après une semaine !

— Bon, c'est vrai… j'avais besoin de faire le point, prononça Samuel, comme on se débarrasse d'un sujet dont on ne souhaiterait pas parler.

— La séance de dédicaces à Paris s'est bien déroulée si ça t'intéresse, lançai-je alors, amer.

— Ça va, tu n'es plus un jeune premier. Tu voulais quoi ? Que je te tienne par la main et que je t'attende à la sortie ? Alors, tu en es où ?

Parfois, nos bavardages d'enfants, simples et innocents, me manquaient. Surtout dans ces moments-là, où nos échanges devenaient tendus et où l'un de nous se devait de prendre sur lui et de ne pas surenchérir sous peine de voir la conversation tourner au vinaigre. Le plus souvent, j'étais celui qui baissait la garde.

Mais il arrivait également que Samuel fasse cette concession.

— J'en suis au chapitre 6, précisai-je.

— Bien… c'est très bien…, souffla-t-il, soulagé.

— Qu'est-ce qui est très bien ? lui demandai-je, sentant la colère grandir en moi comme l'orage au-dehors. Tu trouves ça bien, toi, que le fait de lire ces pages me trouble au point de ne plus pouvoir dormir ? Tu trouves ça bien que Sarah soit partie de la maison pour la simple et bonne raison que revivre tout ce passé m'empêche d'interagir avec mon présent ? Tu trouves peut-être ça bien que je me torture à essayer de comprendre pourquoi nous avons été incapables de la protéger ? Putain de merde, Samuel, explique-moi ce qui est bien dans toute cette histoire !

Je n'avais pas simplement prononcé ces phrases. Je les avais hurlées. De ma conscience. De mes tripes. Et ces questions ne s'adressaient pas seulement à mon meilleur ami, qui resta un long moment sans savoir quoi répondre. Mais aussi à Julie. À ma mère. Aux lumières du Bois Tordu, au soleil indifférent et à ce fantôme pendu dans une maison que je n'osais regarder. Je venais de cracher ma souffrance aux visages de mon existence, et aucune réponse valable ne fut renvoyée en écho. Je me sentis soudain fatigué et cruellement seul. Presque absurde face à ce silence déraisonnable.

— Je comprends, David, lâcha enfin Samuel. Je comprends parce que j'y étais aussi et tout comme toi j'ignore où cela nous mène… Mais j'ai besoin que tu me fasses une promesse.

— Une promesse ? Qu'est-ce que tu veux ? soufflai-je, cherchant du regard mon paquet de cigarettes.

— Promets-moi de m'attendre avant de lire le douzième chapitre.

— Quoi ? T'attendre pour lire ? C'est quoi encore cette histoire ? Pourquoi devrais-je t'attendre ? m'offusquai-je.

— Parce que tu auras besoin d'explications. Et je préfère te les donner moi-même. Demain matin, je passerai demain matin. C'est pour ça que je n'ai pas donné de nouvelles depuis lundi. Il fallait que j'y retourne, par rapport à mon douzième chapitre.

— Qu'est-ce que tu racontes ?

Je me sentais vidé. Non seulement je n'obtenais aucune réponse, mais de nouvelles questions venaient s'ajouter à la liste.

— Eh bien… il semble qu'un seul chapitre ne soit pas identique dans nos deux copies, m'annonça Samuel.

— Comment le sais-tu ? On a comparé nos textes au téléphone la dernière fois.

— Je sais. Mais nous n'avons comparé que les premières pages. Et tu étais le personnage principal.

— Et ?

— Et dans ce chapitre, je le deviens. Ce douzième chapitre explique pourquoi je suis le « muet ».

Merde. Plongé dans les chapitres du texte, j'en avais oublié les phrases du préambule. Le sourd, le muet et l'aveugle. Des mystères en plus. Le type qui avait écrit ces lignes s'était vraiment donné du mal.

— Tu dis que tu es retourné à un endroit en lien avec tout cela ?

— Oui, je suis revenu où nous avons passé notre enfance, David. Je suis retourné là-bas, car je pensais savoir qui nous avait envoyé ces pages. La vieille usine est toujours debout, tu sais. Vide, en ruine, mais toujours là.

— Qui es-tu allé voir ? m'impatientai-je.

— Un fantôme. Mais je l'ignorais, jusqu'à ce que j'arrive.

— Putain, tu vas arrêter tes mystères et…

— Pas avant que tu aies lu le douzième chapitre, précisa Samuel d'une voix ferme. Alors tu auras besoin d'explications. Et moi seul pourrai te les donner. Donc lis le reste et attends-moi jusqu'à demain matin. C'est pour notre bien à tous.

Puis il raccrocha. Et je ne compris qu'au bout de plusieurs minutes qu'en mettant un terme définitif à cet appel, il venait à son tour de baisser la garde, évitant à notre amitié une conversation qui ne lui aurait rien apporté de bon.

Lorsque je reposai le téléphone, je m'aperçus que mes mains étaient anormalement moites.

Lundi dernier, lorsque j'avais découvert, à la fois intrigué et horrifié, le contenu de ces pages, mon premier réflexe avait été de vouloir prévenir la police. Un geste puéril et idiot, comme un enfant qui se jetterait dans les bras d'un adulte pour qu'il le protège des monstres qui traînaient sous son lit. Nous l'avons tous fait. Et à chaque fois les monstres revenaient. Qu'aurais-je dit à l'officier qui aurait réceptionné mon appel ? Qu'une personne inconnue violait mon passé en le déterrant de la sorte ? Que j'avais la désagréable impression qu'on venait de forcer les serrures de mon esprit pour en libérer ce que je m'étais évertué à oublier depuis trente ans ? Moi, l'écrivain accompli, je souhaiterais que l'on enquête sur un inconnu qui décrirait ce que moi je décrivais, certes de manière beaucoup plus métaphorique et diffuse, dans l'ensemble de mes livres ? Pourrais-je alors empêcher cet agent de me rire au nez ? Pourrais-je l'empêcher de prononcer, d'un ton moralisateur : « À vous étaler ainsi sur la place publique, cela devait arriver un jour ou l'autre ! Rappelez-moi si une lectrice vous séquestre dans un chalet en pleine montagne ! »

Alors j'avais laissé tomber. Et essayé de comprendre par moi-même.

Un regard en direction de la pendule murale m'apprit que j'avais laissé filer le déjeuner sans rien avaler. Je me traînai vers le frigo, y saisis de quoi constituer un sandwich (tomate, salade, poulet froid, mayonnaise) et déposai le tout sur le plan de travail central de la cuisine.

— L'attendre pour lire le douzième chapitre ? Mon cul, oui ! pestai-je. Aussitôt ce repas de fortune avalé, je lirai l'intégralité des pages, et ensuite je brûlerai le tout avant de téléphoner à Sarah !

Bien sûr, je n'en fis rien.

Du moins, pas totalement.

Chapitre 7

À 20 h 30, après avoir embrassé sa mère et évité son beau-père, David quitta le pavillon pour se rendre chez Samuel. Dans son sac à dos, il avait déposé une lampe torche, un pyjama, son porte-monnaie ainsi que le nécessaire pour se rendre à la plage le lendemain matin. Le plan élaboré sur le sable durant l'après-midi par les trois comparses était simple : attendre que Tatie se soit endormie devant la télévision, puis sortir par la fenêtre de la chambre direction le Bois Tordu et les jeux vidéo. Julie ajouta qu'ils pourraient faire comme dans les films : rassembler des coussins et des vêtements pour les disposer sous les couvertures. Juste un leurre, au cas où il viendrait à l'esprit de Tatie de venir vérifier leur sommeil avant de se rendre dans sa chambre pour y terminer sa nuit. « Mais bon, elle ne le fait jamais. Elle file directement du canapé à son lit. »

— Ça va être génial, tu verras, promit Samuel. D'habitude, on y va avec mon grand frère, mais là, liberté totale !

— Chuuut, souffla Julie, en désignant d'un geste de la tête sa Tatie qui se trouvait assise un peu plus loin sur la plage. Elle a peut-être un sommeil de plomb, mais aussi des oreilles très sensibles quand elle ne ronfle pas...

— *Et aussi la plus grosse paire de nichons que je...*

— *Arrête ! s'esclaffa la petite fille en tentant de mettre sa main sur la bouche de Samuel afin qu'il se taise.*

— *Regardez, là-bas, intervint David qui jusque-là était resté silencieux, pétrifié par le souvenir de son petit déjeuner.*

— *Quoi, une famille tongs-chaussettes ?*

— *Pas vraiment...*

À quelques mètres d'eux, un homme et une femme arpentaient la plage en se dirigeant vers chaque touriste, tels des vendeurs de chouchous. Seulement, au lieu de tendre un sachet de cacahuètes caramélisées, les visiteurs se baissaient, échangeaient quelques mots qui n'attiraient aucun sourire, et tendaient un papier avant de repartir, le visage bas, en direction des serviettes voisines. Les enfants observèrent silencieusement ce manège. Leurs regards virevoltèrent entre ceux qui lisaient le morceau de papier reçu quelques secondes plus tôt et ceux qui faisaient mine d'être occupés (un couple se hâta même de se lever pour se réfugier d'un air faussement naturel dans les vagues quand le couple approcha) afin de ne pas être interpellés. Ce qui frappa tout d'abord David, ce fut le sentiment de froid qui se dégageait de leur passage. Les touristes arboraient un visage fermé, la tête penchée au-dessus de la feuille, comme figés par une inexplicable glaciation. Le jeune garçon remarqua ensuite que, passée une certaine distance, les statues de glace reprenaient vie et s'empressaient de ranger le papier loin de leur conscience (avec plus ou moins de respect, certains n'hésitant pas à le froisser entre leurs mains), comme s'ils craignaient un risque de contamination. Le couple, s'il le voyait, ne s'en offusquait nullement et continuait sa distribution. Ralenties par le sable, leurs silhouettes écrasées par un poids invisible ne stoppaient leur avancée que sporadiquement, à chaque fois pour sortir une bouteille du sac à dos et la porter à leurs lèvres. À cet instant, leurs regards rougis par la sueur quittaient le sol pour s'élever à la même hauteur que ceux qui profitaient de la vie autour. Mais ce qu'ils découvraient alors ne devait pas vraiment leur plaire, car immédiatement ils avalaient leur gorgée en grimaçant, refermaient la bouteille et repartaient sur leur chemin de croix, visages de nouveau bas.

Ce fut la femme qui s'adressa aux enfants. L'homme resta en retrait. Cependant, Julie entrevit des larmes couler sur sa joue. « C'est peut-être des gouttes de sueur », se rassura-t-elle sans comprendre pourquoi elle ressentait le besoin de trouver une explication.

— Bonjour les enfants, n'ayez crainte, je viens juste vous distribuer quelque chose.

Elle donnait l'impression de ne pas avoir dormi depuis plusieurs semaines. Ses habits fripés, son visage marqué par la fatigue et son regard éteint juraient avec la douceur de sa voix. Elle s'accroupit face à eux et marqua un temps d'arrêt en rencontrant le regard de Julie. Nul ne soufflait mot. Les enfants, à leur tour, sentirent le poids des regards autour d'eux. David se dit que cette sensation désagréable d'être au cœur de l'attention devait en tout point être identique à celle ressentie des années auparavant par les invités du patriarche durant ses légendaires barbecues. Que cette gêne, qui lui engourdissait la nuque et lui asséchait la bouche, était la réplique du mal-être que la maladie de Mme Vermont imposait à ses infortunés vis-à-vis. Ainsi, il n'aurait nullement été surpris d'entendre un torrent d'insultes et de divagations sortir de la bouche de cette femme à genoux devant lui. Mais ce ne fut pas le cas. Ce ne fut pas la folie qui prit la parole, même si elle était en partie déjà présente dans son regard, mais la détresse. Une détresse brute, animale, primitive.

— C'est ma petite fille, murmura le fantôme qu'était devenue la mère. Elle a disparu depuis vendredi. Elle me manque. Si vous la voyez, s'il vous plaît, dites-lui de rentrer ou appelez le numéro en dessous. Elle s'appelle Émilie. Vous le ferez ?

Ce fut Julie qui répondit d'un timide « oui, madame ». Puis, sans réelle conscience de son geste, elle leva le bras et saisit la feuille qu'on lui tendait. David fixa la petite fille. L'adulte avait les mêmes cheveux blonds. Il réalisa tout ce que cette scène avait d'étrange. Julie, qui avait perdu ses parents, se retrouvait face à une mère qui venait de perdre sa fille. C'était comme se retrouver face à un miroir à la réalité inversée. Il eut la violente envie de protéger son amie, de dire à cette femme et à son malheur qu'elle n'avait pas sa place ici, dans leur été. Mais, tandis que la colère lui colorait les joues, elle se releva, rejoignit l'homme et tous les deux se traînèrent en direction d'un couple installé plus loin. Les enfants les regardèrent s'éloigner, comme hypnotisés par cette apparition, comme happés par le malheur qui auréolait les deux parents.

— Merde, fit Samuel en se raclant la gorge. Plutôt flippant.

— C'est la photo que l'on voit partout, constata David, reconnaissant le visage qu'il avait également croisé dans son cauchemar.

— Ce doit être pour elle toutes ces voitures de gendarmerie qui circulent, remarqua Julie.

Les enfants avaient déjà vu ces portraits. Même si aucun n'avait vraiment abordé le sujet, tous avaient remarqué leur existence. Il y en avait un scotché sur la vitrine de la presse, près du rond-point. D'autres étaient agrafés contre les poteaux électriques en bois qui longeaient l'avenue des Mouettes. Certains s'étaient échoués sur le parking et voletaient au gré de la brise marine. Toutes ces photocopies d'un portrait blond soufflaient sur l'été un vent d'hiver.

— Peut-être une fugue, supposa David.

Et ses deux amis s'accrochèrent eux aussi à cette possibilité. Ils se convainquirent que d'ici quelques heures, Émilie retournerait chez ses parents, qu'elle les serrerait dans ses bras menus en pleurant d'enfantines excuses. Alors, l'été reprendrait sa litanie joyeuse. Les frisbees voleraient de nouveau dans le ciel, les châteaux de sable tenteraient de survivre à l'assaut des vagues, et les trois enfants continueraient d'observer l'horizon en se promettant de ne jamais vieillir.

Seulement, Samuel, une fois de plus, énonça ce que Julie et David avaient décidé de garder pour eux.

Une évidence si cristalline qu'elle les mettrait mal à l'aise pour le reste de l'après-midi.

— Julie, c'est fou comme cette fille disparue te ressemble.

Chapitre 8

À 20 h 30, David prit la direction du pavillon de son ami. Le ciel de cette fin de journée se parait d'un voile jaune orangé, comme si des incendies lointains et bienveillants s'endormaient lentement au sein même des nuages. Arrivé devant la maison du patron, il sprinta en prenant soin de contourner l'ombre de la bâtisse qui s'agrandissait sur le ciment, les nombreuses lucarnes de son toit dessinant sur le sol des griffes mouvantes prêtes à déchirer la moindre paire de baskets en taille 36.

Une fois réunis, les deux garçons attendirent que le frère de Samuel parte pour quitter le pavillon et se rendre chez Julie.

— Ils vont faire quoi chez toi ?

— Je n'en sais rien, répondit David. Je sais juste que ma mère n'aime pas ces réunions.

— Je ne sais pas ce qu'ils manigancent, mais mon frère est super tendu. Il ne vient même plus à la plage.

Lorsque Julie ouvrit la porte, un large sourire se dessina sur son visage.

— Je pensais que vous alliez vous dégonfler. Cela n'aurait pas été sympa. Venez, je vais vous présenter à Tatie.

Tatie était assise dans le fauteuil de la pièce principale à regarder la télé. Elle sourit à son tour devant les deux silhouettes qui n'osaient franchir le seuil de la pièce.

— Allons, approchez, je n'ai encore jamais mangé personne.

Samuel poussa David, qui se retrouva en première ligne.

— Je suppose que tu es David, prononça la vieille dame en tendant une main qui devait faire deux fois la taille de celle du garçon.

— Oui, madame. Enchanté de faire votre connaissance.

— Qu'il est poli ! Mais moi aussi, j'ai tellement entendu parler de toi !

David l'aima tout de suite. Son visage bienveillant, ses yeux pétillants, même ses cheveux bizarrement coiffés lui parurent agréables. « Cette adulte regarde les enfants différemment », se dit-il, sans vraiment comprendre la signification d'une telle pensée.

— Et toi Samuel, tu n'es pas aussi timide d'habitude, non ?

— On garde toujours le meilleur pour la fin, déclara-t-il en écartant son meilleur ami de la scène. C'est un moment historique, madame, j'en suis certain !

Puis il serra la main de Tatie, dans un geste théâtral.

— Ah voilà, c'est plus le personnage auquel je m'attendais, remarqua-t-elle.

Julie observait la scène avec une joie intense. C'étaient les premiers amis de vacances qu'elle présentait à Tatie. Elle avait dû batailler pour que celle-ci accepte qu'ils passent la nuit chez elle, mais à force de supplications et de charme, elle y était parvenue.

— Vous avez faim ? s'enquit l'adulte.

— Non merci, répondirent de concert les enfants.

— Très bien, alors disparaissez maintenant, mon émission commence ! plaisanta-t-elle en fronçant exagérément les sourcils.

Les trois complices se retrouvèrent dans la chambre de Julie à attendre patiemment que Tatie s'endorme. Ils ouvrirent les paquets de bonbons que chacun avait apportés, vérifièrent leur lampe torche et comptèrent l'argent en le réunissant sur le tapis.

— On a assez ? demanda Julie.

— Cinquante-sept francs et quatre-vingts centimes, répondit David. On en a pour au moins deux heures de jeux.

— Sauf si c'est toi qui t'attaques aux boss de fin de niveau, le railla Samuel.

À 21 h 30, Julie entrouvrit la porte de sa chambre, tendit l'oreille puis sortit vérifier le sommeil de Tatie. Samuel et David l'attendirent, le ventre rempli de bonbons, et osèrent à peine parler. Ils fixèrent la porte, espérant à chaque seconde l'apparition de leur amie qui les délivrerait en indiquant d'un pouce levé que le temps était venu de mettre les voiles. L'attente sembla durer des heures. N'en pouvant plus, Samuel brisa le silence :

— Qu'est-ce qu'elle fout ? Elle s'est assise pour regarder la télé ou quoi ?

— Chut ! Moins fort ! supplia David.

— Tu les as vus ?

— De quoi tu parles ?

— Les nichons de Tatie ! Lorsqu'elle m'a serré la main, j'étais comme hypnotisé !

— Tu fais chier, pesta David. Parle moins fort et non je n'ai rien vu.

— Tu m'étonnes... toi, tu ne vois rien. Tu n'entends rien non plus..., ajouta Samuel, énigmatique.

— Pourquoi tu dis ça ?

*— Tu connais l'histoire des sirènes, dans l'*Odyssée*? M. Deleporte nous l'avait lue en classe.*

— Oui, et alors ?

— Eh bien toi, tu n'aurais pas coûté cher en cire...

— C'est quoi le rapport ?

— Le rapport, c'est que tu n'entends pas le chant de l'amour ! Julie en pince pour toi, et toi tu ne t'en rends même pas compte ! Tu n'as pas remarqué la petite voix qu'elle prend quand elle te parle ? David par-ci, David par-là... Oh ! et Tatie : « Daaaavid, j'ai teeeeeellement entendu parler de toi ! »

— Quoi ? Mais qu'est-ce que tu racontes ? N'importe quoi ! Nous sommes amis, rien de plus...

— Ouaip... tu es vraiment sourd, conclut son ami. Pauvre Julie, s'abîmer la voix pour rien...

Comme si le fait même de prononcer son prénom avait eu le don de la faire revenir, Julie réapparut et leva les deux pouces en l'air avant de refermer délicatement la porte derrière elle.

— C'est bon elle dort. Au moins jusqu'à demain matin. Allons-y.

— Attends, tu es certaine qu'elle ne risque pas de se réveiller ? s'inquiéta David, les joues étrangement rouges.

— Oui, si elle se réveille c'est uniquement pour boire de l'eau. C'est pour cela qu'il y a toujours une petite bouteille posée sur la table basse. Tu as chaud ?

— Mais si elle a envie de pisser ? répliqua Samuel pour détourner son attention de David qui, en effet, arborait l'air suspect d'un coupable pris sur le vif.

— Vous avez discuté de quoi pendant mon absence ? demanda-t-elle face au comportement étrange de ses amis.

— Cinéma, mentirent à l'unisson les deux garçons. D'ailleurs on se demandait si tu ne t'étais pas assoupie aussi ! s'empressa d'ajouter Samuel.

— Pas vraiment. Bon, bref, allons-y. Et arrêtez de stresser pour rien : si Tatie se réveille, elle boira. Et si elle boit, elle se rendormira.

— Comment tu peux en être si sûre ?

— Parce que je viens de passer cinq minutes à dissoudre deux gélules dans sa bouteille d'eau ! Voilà pourquoi j'ai été si longue. Et voilà pourquoi j'en suis si sûre ! Bon, on y va ou pas ?

Les deux amis se regardèrent comme pour avoir la confirmation que ce qu'ils venaient d'entendre était bien réel. Et chacun, en voyant la tête de l'autre, comprit que c'était le cas. Ils balbutièrent quelques fragments de phrases avant de se rendre compte qu'ils n'étaient plus que deux dans la chambre. La silhouette de Julie venait de disparaître dans l'embrasure de la fenêtre.

Le Bois Tordu, un bâtiment composé d'un snack et d'une grande salle de jeux d'arcade, se situait à quinze bonnes minutes de marche. Pour s'y rendre, il suffisait de longer la plage des Mouettes, de bifurquer sur la gauche pour atteindre les dunes et enfin de traverser une infime partie de la forêt domaniale du pays de Monts qui courait le long de l'avenue de la Pège. Cet endroit, bien connu des touristes, se trouvait au carrefour de plusieurs campings. D'ailleurs, son nom n'était pas réellement le Bois Tordu puisque cela était le titre d'un camping situé quelques mètres plus haut. Mais la jeunesse locale avait sans doute trouvé assez de poésie dans cette appellation pour en affubler également la salle de jeux. Et depuis, c'était ainsi qu'on définissait cet endroit où les lumières multicolores étincelaient, où les sons des bornes d'arcade crépitaient et où la kaléidoscopie de toutes les émotions liées à l'enfance et à l'été scintillait aussi fortement que les étoiles dans le ciel.

— Tu as vraiment drogué Tatie ?

Samuel ouvrait le chemin, s'adjugeant la place d'éclaireur, ce qui ne dérangeait guère David qui se retrouvait ainsi en retrait, à côté de Julie.

— Ce n'est rien, si elle n'a pas utilisé sa bouteille lorsque nous rentrerons, j'irai la vider et remettre de l'eau.

David ne savait quoi en penser. Si l'idée de faire le mur et de se rendre au Bois Tordu avait été la promesse de moments magiques, depuis qu'ils étaient partis, une impression étrange envahissait le garçon. À plusieurs reprises, il s'était retourné discrètement pour vérifier que personne ne les suivait. Il n'aurait su l'expliquer, ni même poser des mots sur cette sensation, mais il n'était pas à l'aise. Peut-être la crainte d'être découvert. Après tout, il suffisait qu'ils croisent un collègue de son père ou de Fabien pour que tout tombe à l'eau. Et puis cette lune qui serait bientôt pleine. Il avait beau repousser loin de lui la légende, elle revenait sans cesse à son esprit, comme un ressac opiniâtre. « Idiot, tu as la trouille, c'est tout », se dit-il en pensant aux moqueries qui suivraient s'il confiait son sentiment à ses amis.

Le trio bifurqua vers les dunes, abandonnant les vagues qui mouraient à quelques mètres d'eux. La mer était calme. Les rouleaux si bruyants de la journée avaient laissé place à une mélodie soyeuse. Devant eux, les silhouettes des pins maritimes s'approchaient lentement.

— C'est par là, on y est presque, indiqua Samuel en désignant un sentier boisé.

Leurs pieds quittèrent le sable harassant pour une terre ferme saupoudrée d'épines de pins. Rapidement, la végétation de la forêt de Monts se fit plus épaisse et leur voila la clarté de la nuit. Les arbres se resserraient de manière claustrophobique, oblitérant sporadiquement le chemin de terre, attirant chacun des enfants contre l'épaule de son voisin. Une pénombre s'installa alors, qui enlaça les trois silhouettes dans ses bras, tandis qu'un souffle putride, aux relents nauséeux d'algues marines et de vieux bois humide, vogua de la mer et sembla leur chuchoter « Émilie ».

— Vous croyez aux loups-garous ? demanda soudain Julie aux deux garçons, qui demeuraient silencieux depuis qu'ils progressaient dans la forêt.

— Quoi ? Pff, non, grimaça Samuel.

— Et aux vampires ?

— Toujours pas.

— Et aux morts-vivants ? insista la jeune fille qui s'amusait de voir ses amis se troubler aux idées qu'elle insinuait adroitement dans leur imagination.

— Comme dans le clip de Michael Jackson ? intervint David.

— Ouais, approuva-t-elle. C'étaient des vrais, il paraît.

— N'importe quoi, affirma Samuel. On est des hommes, pas des gamins. Moi je ne crois en rien de tout ça. Mon frère dit que les vrais monstres, ce sont les hommes. Et il a raison. Un zombie c'est que dalle à côté de mon frère saoul ou en colère.

— Et toi, David ?

— Moi... je ne sais pas trop...

— Il croit aux pendues qui hantent les vivants les soirs de pleine lune, coupa Samuel. Mais son vrai monstre à lui, c'est son beau-père. Un putain de monstre violent et alcoolique. Et ce n'est rien en comparaison du Rouquin. Plus balaise que tous les zombies de Michael !

Le visage de leur amie changea brutalement, ce qu'aucun des garçons ne remarqua, trop occupés à balayer les ténèbres à l'aide de leurs lampes torches. Elle peinait à croire ce qu'elle venait d'entendre. Elle se sentit tout à coup en danger, comme si elle prenait soudain conscience qu'ils n'étaient que des enfants marchant la nuit dans une forêt inconnue.

— Pourquoi il dit ça, David ? s'inquiéta-t-elle. Qu'est-ce qu'il a ton beau-père ? Et c'est quoi cette histoire de pendue ? Un rouquin ?

— Rien de bien intéressant, éluda le garçon. Ne fais pas attention à toutes ces bêtises.

À la grande joie des enfants, le chemin déboucha finalement sur une route goudronnée, que d'autres jeunes venus des campings alentour empruntaient (parfois avec leurs parents, parfois seuls), le regard déterminé, marchant tous dans la même direction, tels des insectes attirés par une lumière artificielle. La petite fille fut soulagée de voir tant de monde.

— Et voici le Bois Tordu ! annonça Samuel en levant les bras dans un geste messianique.

Face à eux, des lampions lumineux auréolaient un grand bâtiment où se pressait une foule dense. En voyant les nombreux écrans de jeux, David comprit que des nouvelles bornes avaient été installées. Il se hâta de rejoindre Samuel qui avançait vers la caisse pour acheter des jetons, entraînant Julie dans son sillage.

— Waouh... J'ai l'impression d'avoir atterri sur une autre planète ! Ça change des après-midi plage avec Tatie ! lui cria-t-elle.

— Ouais, il y a du monde ! s'extasia le garçon.

Les enceintes du bar jouxtant la salle de jeux crachaient Holiday Rap, le dernier morceau à la mode, tandis que l'odeur sucrée provenant d'une machine à barbe à papa enivrait l'atmosphère.

— Alors, les gamins de l'usine, vous êtes encore revenus cette année ?

David reconnut immédiatement le jeune homme assis derrière la caisse. Il s'agissait d'Olivier, un saisonnier qu'ils avaient rencontré lors de leur premier été. Et depuis, ils le croisaient tous les ans.

— Salut, Olivier ! Comment ça va ? le salua David.

— Super les gars ! Content de vous revoir !

Olivier représentait pour les deux enfants le parfait opposé des jeunes de leur village natal. Les yeux bleus, toujours à sourire, il s'était immédiatement montré bienveillant avec eux quand ils avaient débarqué quelques années auparavant avec la mère de David. Ce soir-là, les deux garçons découvraient le lieu. Leurs regards s'illuminaient à chaque fois qu'ils se penchaient au-dessus d'une nouvelle borne d'arcade, eux qui ne connaissaient que le Pac-Man poussiéreux et caractériel du vieux café de la place du marché. Comme c'était un soir calme (la pluie qui tombait en était la principale raison), Olivier avait délaissé son poste pour expliquer aux enfants le fonctionnement de telle ou telle machine. Il chipa même quelques jetons dans la réserve pour réaliser des démonstrations et faire ainsi gagner des crédits aux deux gosses qui le regardaient avec admiration.

— Regardez : c'est Time Pilot, on l'a reçu la semaine dernière. C'est un shoot'em up, ce qui signifie que l'on doit tirer sur tout ce qui bouge. Ici, c'est Spy Hunter, vous devriez vous régaler… Et là, mon préféré, et aussi l'un des plus difficiles : Dragon's Lair. Du pur génie ! Et là-bas…

Il en fut ainsi toute la soirée. Et depuis cette date, chaque année David et Samuel se réjouissaient de retrouver Olivier. Même si Fabien disait que c'était une tarlouze (adjectif que son petit frère ne comprenait pas vraiment), eux le trouvaient super cool.

— Tiens, s'étonna-t-il en voyant la jeune fille blonde légèrement en retrait, une nouvelle recrue ?

— Je te présente Julie, intervint Samuel. Une sirène échouée dans nos filets ! ajouta-t-il en donnant un coup de coude à David. C'est son premier été ici. Et sa première venue au Bois Tordu.

— Enchanté, Miss Julie ! J'espère que l'endroit va te plaire. Et si ces deux garnements frappent trop fort sur les machines, tu viens immédiatement me le dire, OK ?

— Ça marche, répondit Julie, légèrement intimidée.

— Alors voilà, trente francs en jetons ! Plus quelques-uns de ma part. Amusez-vous bien !

Les trois amis se jetèrent sur les machines et passèrent la soirée dessus. La lune prit entière possession du ciel alors que les heures défilaient, comme effrayées par ces monstres auxquels les enfants ne pensaient plus vraiment. À la grande surprise des deux meilleurs amis, Julie prit beaucoup de plaisir, non pas simplement à les regarder, mais aussi à jouer. Et les deux garçons devinrent étrangement silencieux lorsqu'elle parvint à battre leur record à Donkey Kong. Samuel prétexta qu'elle devait y avoir déjà joué, que ce n'était pas possible autrement. Mais Julie jura sur la tête de Tatie (qui, au même moment, assise dans son fauteuil et plongée dans un demi-sommeil, venait de tendre la main pour saisir la bouteille d'eau) que c'était la première fois qu'elle se rendait dans un lieu comme celui-ci. David éclata de rire en voyant la tête de son ami, qui, vexé d'être détrôné, inséra un nouveau jeton et s'entêta à défendre son honneur sans jamais réussir à le restaurer.

Les enfants enchaînèrent les parties, changeant régulièrement de jeu (« Bah, c'est pas ma soirée, c'est tout », reconnut Samuel en abandonnant le gorille et en retrouvant le sourire), et retournèrent à la caisse pour échanger l'argent qu'il leur restait.

Vers 1 heure du matin, alors que les lumières du Bois Tordu s'éteignaient une à une, Julie sonna le départ en perdant le dernier crédit qu'il leur restait dans une lutte acharnée contre un boss de fin de niveau. Les silhouettes fatiguées, aux yeux rougis par les mouvements saccadés des pixels, empruntèrent à regret le chemin du retour. Leurs démarches se firent plus rapides pour traverser la forêt, et elles ralentirent une fois la plage atteinte.

— C'était génial, s'exclama Julie en tenant ses deux amis par les épaules. Grâce à vous je passe de super vacances !

— Je pense qu'il fallait à la fois sauter et envoyer les boules de feu, maugréa Samuel en revivant la dernière partie de jeu vidéo.

Il marcha ainsi, rejouant dans sa tête un niveau qu'il se promit de gagner la prochaine fois. Il était tellement plongé dans ses pensées qu'il ne se rendit pas compte de l'avance qu'il prenait sur ses deux amis. Julie et David l'observèrent s'éloigner doucement, et s'amusèrent de l'entendre évoquer de possibles combinaisons de touches plus efficaces.

— Il est rigolo, remarqua Julie.

— Oui, confirma David. Et encore, tu ne l'as pas vu dans ses moments de folie !

— Tu crois qu'elle va revenir ?

— Qui ça ?

— Cette fille, Émilie. Je n'arrête pas de penser à elle.

— Je n'en sais rien... mais je pense que oui. On ne disparaît pas comme ça, sans raison, tenta de la rassurer David. Je suis certain que demain nous la croiserons sur la plage, avec sa famille.

Les deux enfants s'accrochèrent à cette idée. Ils se la répétèrent en silence, comme un mantra, comme une incantation visant à faire fuir un monstre mystérieux dont aucun des deux n'aurait été capable de dessiner les traits.

— J'ai quelque chose pour toi, annonça subitement la jeune fille en s'arrêtant.

David, qui pensait avoir mal entendu, se tourna et la questionna du regard. Derrière elle, la mer, au repos, n'ondoyait que légèrement, comme respectueuse de la scène qui se déroulait face à elle.

— Quoi ?

— Tu es sourd ? J'ai quelque chose pour toi.

— Pour moi ? Euh... qu'est-ce que c'est ? demanda-t-il, tout penaud.

Julie fouilla dans la poche de son bermuda et en ressortit ce que le garçon prit tout d'abord pour un morceau de ficelle.

— C'est un bracelet brésilien. Tu connais ?

— Non... enfin j'en ai déjà vu, mentit-il pour se donner un peu de contenance.

— C'est un bracelet que l'on offre aux personnes à qui l'on tient. Lorsque tu l'attaches, tu dois faire un vœu. Et une fois que les ficelles se sont toutes rompues, le souhait se réalise. Il y avait un distributeur près des toilettes des filles. Je me suis dit que ce serait

sympa de t'en offrir un. J'en ai aussi pris un pour moi. Attends, je vais te l'attacher. À droite ou à gauche ?

— À... à droite.

David vit Julie s'approcher de lui et lui saisir le poignet. Il se souvint du visage qui lui était apparu quelques jours plus tôt, lorsque, seul dans sa chambre, les yeux fermés, il tentait de s'endormir en oubliant les adultes dans la pièce d'à côté. À ce moment, il lui avait paru à ce point beau et apaisant qu'il l'avait accompagné toute la nuit. Et là, sur la plage des Mouettes, nimbé du clair de lune, il revit le même visage, si proche de lui qu'il pouvait ressentir la douce caresse de sa respiration.

— À toi maintenant. Main droite aussi.

À son tour, il lui saisit la main.

— Non, droite pour moi, pas pour toi, idiot ! rigola-t-elle devant sa maladresse. Maintenant, on ferme les yeux et on fait un vœu.

Quelques secondes plus tard, quand David rouvrit les paupières, Julie le fixait déjà, immobile. Il eut l'impression qu'elle était plus proche que tout à l'heure. Elle semblait attendre un geste que le jeune garçon fut incapable d'interpréter. Un silence étrange s'installa. Même les vagues semblaient s'être figées. « Peut-être que les glaciations inexpliquées existent », se dit le garçon en ressentant un frisson lui parcourir le bas du visage.

C'est à ce moment qu'une phrase hurlée à travers l'obscurité de la nuit brisa le silence et sépara Julie et David de leur face-à-face inachevé. Ils tournèrent la tête en même temps, dans un mouvement synchrone digne de la chorégraphie de Thriller, *cherchant l'endroit exact d'où ces mots avaient été lancés avec autant de force. Le bruit des vagues, des hululements et des branches bercées par le vent retrouva soudain son volume naturel. Ce ne fut que lorsque la phrase résonna à nouveau qu'ils purent localiser sa provenance. Ils se regardèrent une dernière fois, abandonnant sur le rivage ce moment que chacun se promit de revivre dès que l'occasion se présenterait, et se mirent à courir, hilares, en direction de Samuel qui, assis sur le sable une centaine de mètres plus loin, répéta, en s'époumonant :*

— Ça vous fait peut-être rire ! Mais moi je suis sûr qu'elle y a déjà joué, à Donkey Kong ! C'est O-BLI-GÉ !

Vers 1 h 30, Olivier éteignit la caisse et ferma la porte du local.

Il fit le tour de la salle d'arcade, ramassa les canettes de soda que les gamins malvoyants ou mal éduqués avaient lancées juste à côté de la poubelle et vérifia une dernière fois les issues. Puis, il abaissa la grille de protection et quitta le Bois Tordu pour récupérer sa voiture garée sur le parking. C'était une vieille Peugeot 104 qu'il avait pu s'offrir grâce à sa saison de l'année dernière. Elle était rouillée. Un peu cabossée aussi, sur le côté droit. Et puis la vitre avant du côté passager ne se fermait pas correctement, ce qui était gênant l'hiver. Mais Olivier l'aimait quand même, cette voiture. C'était sa première. Et il l'avait payée avec son propre argent.

En cherchant ses clefs dans la poche arrière de son jean, il perçut du coin de l'œil un bref mouvement, là-bas, sur sa gauche. Il tourna la tête et attendit quelques secondes pour voir si celui qui venait de se cacher derrière la voiture garée plus loin se relèverait pour se montrer. Mais rien ne se passa. Alors, le jeune homme se mit à douter de ce qu'il avait vu. La fatigue, les lumières des néons et des machines, la musique assourdissante, tout cela pouvait entraîner des hallucinations. Olivier inséra les clefs dans la serrure et une fois encore il y eut un mouvement furtif. Cette fois il n'y avait plus de doute possible. Quelqu'un se cachait, Olivier en était persuadé. Il aurait juré avoir vu la silhouette bifurquer vers un autre véhicule. Il s'empressa alors de monter à l'intérieur de la 104, de lancer le démarreur et d'enclencher la marche arrière. Il ignorait si celui qui se cachait en avait après lui, mais il n'avait aucune envie de pousser plus loin son investigation. Peut-être des gamins qui s'amusaient. Peut-être...

Ce fut plus fort que lui. Instinctivement il leva le nez vers le ciel pour observer la lune.

Pas encore pleine.

Bientôt.

Cela ne pouvait être elle.

Il s'en voulut de penser à cette légende. Craindre de tomber sur une femme morte depuis des années n'était plus de son âge. Tous ces gosses qui dépensaient leur argent de poche dans les machines d'arcade pouvaient y croire, mais pas lui. Lui était le type qui distribuait les jetons et roulait à présent dans sa propre voiture... Il n'avait plus rien d'un gamin.

Olivier jeta cependant un dernier coup d'œil dans le rétroviseur mais n'aperçut personne. Il accéléra un peu trop fortement (il imagina caler ou pire, noyer le moteur en essayant de redémarrer comme dans ces stupides films d'horreur) mais parvint à quitter le parking et à s'éloigner de sa peur puérile.

Ce fut l'une des dernières nuits où on le vit au Bois Tordu.

Août 1986

Paul Vermont en découvrit une autre. Plus virulente. Plus agressive. Plus réelle.

Il arpenta l'usine en cachant la lettre dans sa veste en tweed. Les salariés osaient à peine le regarder. Une bonne partie des employés se trouvaient déjà en vacances à Saint-Hilaire. Confortablement installés dans leur pavillon à comploter contre lui. Ou peut-être que tout cela n'était que de simples menaces. Des promesses proférées par des pères de famille en colère, mais qui, le moment venu, se rappelleraient Paul Vermont comme un homme honnête et intègre. Certains d'entre eux se souviendraient du temps où sa femme luttait contre la maladie et faisait bonne figure en leur servant des cocktails lors des soirées organisées dans le jardin de leur maison d'été. *Les hommes naissent-ils fous ou le deviennent-ils avec le temps et les épreuves ?* s'interrogea-t-il cependant.

Le directeur se rendit dans son bureau et ferma la porte. Il ignorait comment la situation de l'usine avait fuité. Mais force était de constater que la fréquence des lettres de menaces s'était accentuée. La presse s'en était mêlée. Un court article était paru la semaine dernière dans le journal local, quelques lignes succinctes qui suffirent à alimenter la rumeur. Et à motiver l'envoi de ces lettres anonymes. Si d'habitude les missives exprimaient des avertissements vagues, sans danger potentiel (« Vous allez ruiner l'héritage de votre père… », « Dormirez-vous plus facilement en ayant poussé des dizaines de familles dans la misère ? », « Au lieu de nous offrir des barbecues, vous auriez dû nous nous offrir des cordes pour nous pendre à notre tour… »), celle reçue ce matin était différente. Une crainte effroyable le saisit alors. Devrait-il revenir sur sa promesse ? Le danger inscrit dans ces lignes lui imposerait-il d'annuler un pacte qui, il le savait depuis la venue de son comptable et la découverte dramatique des finances de l'entreprise, ne pourrait plus jamais être honoré ? Pourrait-il vivre avec ce poids sur la conscience, un poids beaucoup plus lourd que le destin de ses salariés ?

Paul Vermont s'assit derrière son bureau et composa le numéro interne correspondant au poste de l'atelier des soudeurs. Une voix inamicale lui répondit :

— Oui ?

— Pouvez-vous dire à Franck de venir dans mon bureau ?

— Dès que je le trouve.

Puis le chef d'atelier raccrocha sans ajouter un mot. Quelques minutes plus tard, Franck pénétra dans le bureau et se posta devant le directeur.

— Monsieur ?

— J'ai reçu cette lettre ce matin. Encore une. Mais celle-ci mérite toute notre attention.

Il sortit la feuille de sa poche et la tendit au Rouquin. Celui-ci mit un certain temps à la lire, puis lui rendit en attendant la suite.

— Comment ont-ils su ? le questionna M. Vermont.

— Je l'ignore. Parfois les gens se souviennent.

— J'avais pourtant été discret, prononça à voix basse le fils du patriarche, comme si cette phrase n'était adressée qu'à lui-même.

— Je pars dans quelques jours pour les Mouettes, précisa Franck en sachant pertinemment que son patron comprendrait son sous-entendu.

— Franck, j'ai fait une promesse, une promesse que je ne peux renier. Je sais que tu es la seule personne dans cette foutue usine qui puisse me comprendre. Et toi, tu m'as fait une promesse en retour.

— Je sais.

— Et malgré cette lettre, je ne peux me résoudre à trahir ma parole. Me comprends-tu ?

— Oui, monsieur.

— Alors, quand tu te rendras là-bas, fais en sorte que nous soyons tous les deux des hommes de parole, veux-tu ?

— Une promesse est une promesse, affirma le Rouquin.

Dans ces régions reculées, ces affirmations simples suffisaient à sceller un pacte qu'aucun évènement ne pourrait alors jamais compromettre. Elles renfermaient en elles bien plus de conviction et d'honneur que n'importe quelle signature officielle.

— Et si cela tourne mal ? demanda Franck en fixant l'homme assis devant lui.

— Dans ce cas, j'ai une totale confiance en toi. Tu sauras résoudre le problème et éviter le danger.

— Très bien, monsieur.

— Franck ?

— Oui.

— Merci. Merci pour tout. Les hommes d'honneur sont rares de nos jours. Tu es le seul que je connaisse.

— Tout se passera bien, monsieur Vermont. Comptez sur moi, j'y veillerai nuit et jour. Une promesse est une promesse.

Chapitre 9

Jeudi

Le lendemain matin, les trois enfants se quittèrent après que Tatie leur eut servi un copieux petit déjeuner. David et Samuel ne prononcèrent aucun mot, à l'exception des politesses courantes, s'attendant à un instant ou à un autre que la vieille dame ne les gronde pour avoir trafiqué son eau. Mais aucun reproche ne fut prononcé. Tatie affirma juste être plus fatiguée que les autres jours et décida de se reposer dans sa chambre une petite heure avant de se rendre à la plage en compagnie de Julie. « Je suppose qu'on se reverra là-bas, les enfants, en attendant soyez sages ! » Julie et ses amis la regardèrent fermer la porte d'un geste léthargique et, quelques secondes plus tard, un ronflement profond et régulier résonna depuis la chambre.

— On file à la plage ? demanda Samuel, pressé de s'éloigner de Tatie.

— D'accord, approuva David. Puis, se tournant vers Julie : Tu nous rejoins plus tard ?

— Bien sûr, vous n'allez pas vous débarrasser de moi aussi facilement !

À peine venait-elle de prononcer cette phrase qu'une étrange lueur apparut dans ses yeux. Une tristesse émana alors non seulement de son regard, mais de son corps tout entier, de ses gestes et du silence qui suivit ces paroles. Et cette tristesse se jeta avec appétit et férocité sur ses deux amis qui comprirent à ce moment que leur amitié avait une date butoir terriblement proche. Tous prirent conscience qu'il ne leur restait que deux jours avant le départ. Samedi, Julie quitterait leur existence et les deux garçons retourneraient dans leur cité HLM, loin des vagues, du soleil et des sourires. « Même cette foutue maison me manque quand je suis chez moi ! » s'avoua David alors qu'ils passèrent devant la bâtisse abandonnée.

Comme si son meilleur ami avait deviné ses pensées, Samuel proposa ce qui, pour lui, permettrait de finir les vacances en beauté :

— On pourrait le faire demain, ce sera notre dernière soirée ensemble.

— Faire quoi ?

— Ce que nous nous étions promis l'année dernière. Tu pensais vraiment que j'avais oublié ?

— Visiter la maison de la pendue ?

— Ouais, s'enthousiasma Samuel. Ce coup-ci on dit à nos parents qu'on dort chez Julie. Eux aussi vont vouloir profiter de leur dernière soirée. Ils s'en foutent. Je parie même qu'ils seront contents de ne pas avoir à veiller sur nous !

— Tu crois que Julie va être partante ?

— Cette fille, elle a peur de rien. J'en suis certain. Et puis si tu y vas, elle suivra. On lui en parlera demain, ce sera une surprise.

Les deux enfants bifurquèrent vers la plage quand ils aperçurent le véhicule de gendarmerie. Celui-ci ralentit à leur approche, puis continua sa route, toujours au ralenti.

— Ils ne l'ont pas retrouvée, murmura David en suivant le véhicule du regard.

Cette pensée obscurcit un peu plus son humeur.

Julie. Émilie.

Ces deux fillettes allaient disparaître de son horizon dès qu'il s'assiérait à l'arrière de la Super 5 de son beau-père. S'il ne connaissait nullement la seconde, il ressentait tout de même de l'affection pour elle. Il était certain qu'elle aurait été une amie parfaite pour Julie. Elles se seraient sans aucun doute bien entendues. Et David sourit à l'idée que s'ils s'étaient rendus tous les quatre au Bois Tordu, Olivier aurait pu les prendre pour des sœurs jumelles tant elles se ressemblaient.

La journée fila comme un éclair. Rapide. Lumineuse mais néanmoins menaçante puisqu'elle dévora en peu de temps des heures que les enfants auraient souhaitées longues et sans fin. Les trois comparses s'amusèrent de leur périple de la veille. Ils passèrent en revue chaque minute passée ensemble, chaque partie de jeu gagnée ou perdue. Samuel remarqua les bracelets présents aux poignets de ses amis. Il en sourit et imagina régulièrement des subterfuges pour les laisser un court instant ensemble.

« Je vais pisser dans la mer. Ne me suivez pas je pourrais vous irradier », « Bougez pas, ce coup-ci c'est à mon tour d'aller acheter les glaces », ou bien encore « Je vais voir Tatie, je suis certain qu'elle a envie de me parler mais qu'elle n'ose pas ! Une grande timide, comme toi David ! ».

En fin de journée, une lune pleine s'esquissa timidement au-dessus de la mer. On aurait pu l'imaginer sortir de ce fourreau tumultueux, perçant les vagues après une longue plongée où les âmes des pirates en décomposition lui auraient murmuré des secrets inaudibles à la lumière du jour.

Les trois enfants rentrèrent chez eux, fatigués de leur soirée de la veille.

David embrassa sa mère, craignant qu'elle ne lui pose des questions, qu'elle se doute qu'il n'avait pas réellement dormi chez Samuel mais il n'en fut rien. Elle le serra anormalement fort dans ses bras, comme ce jour où il était parti pour la première fois en colonie de vacances et qu'elle n'avait pu retenir ses larmes alors que le chauffeur de bus et les moniteurs s'impatientaient.

— Qu'est-ce qui se passe ? s'inquiéta le garçon.

— Rien mon chéri, tempéra sa mère, je ne t'ai pas vu depuis hier soir, c'est tout.

— Pourquoi vous ne venez plus à la plage ?

— Parce que l'on a des affaires à régler. C'est pour cela. Tu sais, les choses vont devenir compliquées. Le travail... on risque de ne plus revenir à l'usine... ni ici l'été prochain.

— Pour... pourquoi ? balbutia David qui sentait les larmes arriver.

— Ce sont des problèmes d'adultes, mais ne t'inquiète pas, on retrouvera du travail ailleurs.

— Je... je ne veux pas aller ailleurs... On veut revenir à l'avenue des Mouettes avec Samuel, et puis il y a Julie à présent.

— On trouvera une solution, je te le promets. En attendant, je veux que tu fasses quelque chose :

nous ne serons pas là ce soir, il y a une réunion, tu sais, comme l'autre jour, et les enfants ne peuvent pas venir. Tu vas rester tranquillement à la maison, je t'ai loué une vidéo et préparé ton repas. On ne rentrera pas tard. Mais s'il te plaît, ne sors pas du pavillon, d'accord.

— Pourquoi je ne peux pas venir avec toi, maman ?

— Parce que c'est la pleine lune, mon chéri. Et il arrive souvent de mauvaises choses les soirs de pleine lune...

Deux heures plus tard, après s'être douché et avoir pleuré discrètement dans la salle de bains, David observa les adultes sortir en silence, le regard grave. La nuit s'installa et le jeune garçon décida d'allumer toutes les lumières disponibles.

Il ne comprenait rien aux paroles insensées de sa mère.

Puis il repensa à celles prononcées par son beau-père dans la cuisine : « Ta mère est folle. »

Serait-ce vrai ? La folie se dévoilait-elle ainsi, par des phrases dénuées de sens ? Pourquoi sa mère était-elle si étrange depuis ce soir où elle lui avait semblé comme possédée par l'atmosphère sombre et mélancolique de la maison qu'elle observait par la fenêtre ? Pourquoi David avait-il l'impression qu'une partie de son univers risquait de s'écrouler, ce soir, dans cette nuit anormalement lumineuse ? Il ressentit l'envie de courir chez Samuel, d'y trouver du réconfort, de se rendre avec lui chez Julie et de s'asseoir aux côtés de Tatie pour regarder tous les quatre cette cassette vidéo qu'il n'avait aucune envie de regarder seul. Il souhaita également que le vœu qu'il avait fait en secret quand Julie lui avait offert le bracelet brésilien se réalise.

Il voulut qu'Émilie les rejoigne.

Saine et sauve.

4

Nous y sommes, pensai-je, la peur au ventre.

La triste nuit de cet été 1986.

La nuit où la pleine lune brilla pour la dernière fois au-dessus d'une maison hantée par la folie des hommes.

Je les revois encore. Impétueux et ivres. Aussi fous et enflammés que des pirates ayant décidé de brûler leur déesse protectrice.

Encore un chapitre. Une dernière nuit en compagnie de Julie même si ce soir-là nous ne pûmes nous parler. Nous étions comme des bouteilles malmenées par le mouvement des marées, tentant désespérément de délivrer le message que nous gardions précieusement au fond de notre cœur. Persuadés qu'une fois l'orage passé, nous pourrions enfin nous retrouver et nous promener, comme la veille au soir en revenant du Bois Tordu, le long de la plage des Mouettes.

Mais ils en décidèrent autrement.

Il n'y eut pas de dernier sourire.

Ni de visite nocturne dans la maison du patron.

Seule la folie éclaira la nuit.

CHAPITRE 10

David se réveilla sans avoir conscience de s'être endormi.

Il resta quelques instants sans bouger, allongé sur le canapé du salon, pendant que ses sens reprenaient pied dans la réalité. La lumière violente du plafonnier irradiait le silence de la maison.

« C'est vrai, je suis seul », se souvint-il.

Le garçon se redressa, s'étira, émit un bâillement long et sonore qui signifiait que le sommeil n'en avait pas fini avec lui, puis se dirigea vers la cuisine d'un pas asthénique. Il ouvrit un placard, saisit un verre et le remplit directement au robinet. Les paroles de sa mère dansaient encore dans son esprit. Il ne pouvait s'y résoudre. Ne plus revenir ici ? Abandonner l'avenue des Mouettes ? Ne plus revoir Julie alors que dans sa tête, il s'imaginait déjà la retrouver l'année prochaine ? Elle serait allongée aux côtés de Tatie, à l'endroit où il l'avait vue pour la première fois. Ses cheveux blonds toujours aussi lumineux, son visage aussi fin et harmonieux que ce matin où elle l'avait salué de la main. Elle lancerait une phrase en le voyant arriver, histoire de lui faire comprendre qu'elle était la même, que rien n'avait changé, « ce n'est pas sympa de m'avoir manqué pendant un an »... Puis il dirait bonjour à Tatie en la serrant fort, ils se raconteraient tout ce qu'ils n'avaient pu raconter dans les nombreuses lettres qu'ils s'étaient envoyées durant l'année écoulée. Et le soleil brillerait de nouveau. Samuel arriverait, les rires reprendraient, et à quelques mètres de leurs serviettes Émilie serait là, vivante, avec ses parents.

C'est lorsqu'il porta la boisson à ses lèvres qu'il les remarqua.

« Des lucioles », pensa-t-il tout d'abord, en observant les points lumineux danser derrière la fenêtre. Attiré par ce phénomène, il s'approcha et comprit rapidement qu'il ne pouvait s'agir de vers luisants : leurs mouvements syncopés s'achevaient trop brutalement et leur phosphorescence penchait de manière étrange vers le rouge orangé. David colla son visage contre la vitre. Le bruit sec du verre se brisant sur le sol résonna sans que le garçon y prête attention. Sa main, à présent vide, se recroquevilla sur elle-même jusqu'à devenir poing, exprimant ainsi la colère que sa bouche muette et béate ne put crier.

Car, par-delà le jardin du pavillon, il vit que la maison du patron était en feu. Les longues flammes s'ébrouaient en se dressant vers le ciel. Leurs ombres désordonnées dansaient contre les silhouettes des badauds regroupés en grappes éparses qui – il en douta par la suite mais à ce moment il l'aurait juré – souriaient face à ce spectacle dramatique. La scène se déroula comme dans un mauvais rêve. David ferma fortement ses paupières pour s'extraire de cette réalité qui – pensait-il, espérait-il, suppliait-il – ne pouvait provenir que de son imagination contrariée. Mais lorsqu'il les rouvrit, les flammes s'élevaient toujours au même endroit. Le feu léchait avec gourmandise les façades en bois, recrachait une fumée sombre et indigeste, s'étirait, puis prenait son élan pour atteindre les alcôves ou les points les plus hauts. Les visages rougis des témoins ressemblaient à des masques démoniaques. Leurs corps immobiles et attentifs semblables à ces curieux qui attendaient patiemment face au gibet que l'on pende publiquement une jeune fille déclarée coupable de sorcellerie.

Un copeau de bois incandescent termina sa chute et mourut contre la vitre, à quelques millimètres du garçon. Il comprit alors que ce qu'il avait pris plus tôt pour des lucioles n'étaient en fait que des molécules folles et orphelines provenant de la maison du patron, d'ultimes lueurs spectrales saupoudrées dans la nuit, comme un dernier message, comme des étoiles mourantes sous l'œil plein et inexpressif de la lune.

Il ignora les larmes qui lui coulaient sur les joues.

Tout comme il ignora les consignes de sa mère.

David se rua vers la porte et sortit dans la nuit.

Il était à peu près 0 h 15 lorsque Pierre Mathieu, le pompier de garde de Saint-Hilaire-de-Riez, reçut l'appel. Immédiatement, il déclencha la sirène pour alerter ses neveux, Sébastien et Bruno, espérant qu'ils étaient tranquillement chez eux et non pas dans un bar à draguer les touristes. Cinq minutes plus tard, les deux gaillards se tenaient devant lui, en tenue, certes un peu endormis mais prêts à intervenir. « Un véritable miracle », soupira Pierre. Les trois hommes foncèrent dans le camion-citerne, actionnèrent le gyrophare et roulèrent à tombeau ouvert jusqu'au lieu de l'alerte, avenue des Mouettes. Quand ils arrivèrent, la maison était déjà perdue. Ce qui les étonna. La personne qui les avait appelés avait décrit le feu comme vif mais actif sur une seule façade. À présent, la construction entière se trouvait encerclée par les flammes. La propagation d'un foyer ne pouvait aller aussi vite. À moins que...

Pierre ordonna à l'un de ses neveux de dérouler le tuyau et de le raccorder à la borne à incendie. Sébastien se démena contre sa propre maladresse, tentant de se souvenir des exercices qu'il n'avait que trop rarement pratiqués, mais réussit tant bien que mal sa mission. Pierre attendit nerveusement, lance en main, que le précieux liquide exerce sa pression. « Les renforts des différentes casernes alentour ne tarderont pas, les gendarmes également, il suffit que je circonscrive suffisamment l'incendie pour qu'il ne se propage pas », se dit-il en s'approchant de la bâtisse. Bruno quant à lui était parti aux renseignements. Il obtint quelques réponses des vacanciers (Non il n'y avait personne à l'intérieur. Oui le feu avait très rapidement gagné en intensité. J'ai toujours rêvé d'être pompier. Ça marche vraiment avec les filles ? Le gaz ? Non, plus personne ne vient ici depuis des années. Saviez-vous que cette maison était hantée ?) et ordonna à la foule de curieux de reculer pour les laisser travailler.

C'est en revenant vers son oncle qu'il vit au loin, en direction de la plage, une seconde colonne de fumée. Celle-ci était beaucoup moins importante (il pensa immédiatement à un barbecue sauvage organisé par de jolies touristes suédoises) mais il en avertit tout de même Pierre.

— Où ça ? cria celui-ci.

— Là-bas, vers la plage des Mouettes.

— Si c'est sur le sable, il n'y a pas de risque de propagation. On verra à l'arrivée des renforts. Concentrons-nous sur cet enfoiré pour l'instant ! ordonna son oncle.

Bruno se posta à ses côtés et observa la gerbe d'eau s'élever puis s'abattre sur les façades de la maison de la pendue. Toute la région connaissait la légende qui s'était bâtie autour de son suicide. Les pirates, les murmures, la folie... Juste une légende inoffensive, songea-t-il. Alors pourquoi s'attaquer à elle ? Pourquoi vouloir assassiner un fantôme ?

CHAPITRE 11

Le Rouquin n'esquissa aucun geste.

Il regarda la maison mourir. Il entendit les poutres se tordre de douleur. Il vit les vitres se briser une à une sous l'effet de la chaleur.

Comme en écho à sa souffrance intérieure, sa cicatrice se réveilla et lui brûla la joue.

« Tiens-moi la main.

— Non, tu es grand à présent. »

Il chassa ces paroles de son esprit, se détourna du spectacle et marcha en direction de la plage.

— Une promesse est une promesse, murmura-t-il.

Une impression étrange envahit Samuel lorsqu'il comprit que quelque chose d'anormal se produisait. Il ignorait pourquoi – peut-être parce que son frère lui avait paru étrangement nerveux ses derniers jours, ou parce qu'il lui avait fait promettre de ne pas quitter le pavillon de toute la soirée – mais il se douta immédiatement que celui-ci avait quelque chose à voir avec le brouhaha qui régnait à l'extérieur. Il pensa à David et à Julie. Avaient-ils eux aussi entendu la sirène hurler dans la nuit ? Il décida de braver l'interdiction de Fabien et de sortir pour comprendre vers quoi les ombres qu'il voyait passer devant sa fenêtre obliquaient.

Assis derrière la caisse du Bois Tordu, Olivier observa la colonne de fumée s'élever vers le ciel. Les feux de forêt n'étaient pas rares en cette saison, mais il ne s'agissait pas de cela, il en était certain. Le feu semblait provenir de la ville. La masse noirâtre qui grossissait lentement masqua la pleine lune. Olivier se souvint de la peur qu'il avait ressentie la veille. Il pensa également à cette gamine que les gendarmes recherchaient depuis plusieurs jours. L'un d'eux était même venu lui poser quelques questions, espérant qu'il lui fournisse des réponses. (« La reconnaissez-vous ? L'avez-vous vue ? En êtes-vous certain ? ») Mais non, il ne l'avait pas vue. Et lorsque le gendarme l'avait remercié et salué en le fixant un court instant, Olivier s'était senti coupable. Il ne savait pas encore de quoi, mais il avait baissé les yeux pour ne plus avoir à affronter ce malaise et avait fait semblant de compter les jetons entassés devant lui.

Julie entendit un faible bruit provenant du dehors. Elle se leva de son lit et passa la tête par la fenêtre de sa chambre. C'est à ce moment qu'une sirène résonna. La jeune fille se dirigea dans le salon où, dormant d'un sommeil artificiel, Tatie ronflait bruyamment. Elle hésita à la réveiller mais s'en abstint, préférant vérifier par elle-même pourquoi les voisins se tenaient dans l'allée à scruter ce que de sa chambre elle ne pouvait distinguer.

David fit le tour du pavillon, dépassa l'allée de thuyas et se fraya un passage à travers la masse compacte qui encerclait la maison du patron. Une cinquantaine de personnes observait les trois pompiers combattre le feu. L'eau que projetait la lance à incendie fondait en arc de cercle sur le brasier insensé. Un mur latéral s'effondra, ce qui fit reculer les spectateurs, dévoilant ainsi le hall dans lequel Mme Vermont avait mis fin à ses jours. Mue par la curiosité, la foule reconquit les centimètres perdus en tendant le cou afin d'en voir un peu plus, ignorant les consignes qu'un jeune pompier leur lançait, espérant sans doute découvrir, toujours pendu à la poutre, le squelette d'une femme qui autrefois leur servait des cocktails dans le jardin luxuriant qu'ils piétinaient à présent.

David pleurait.

L'air, que les flammes lestaient d'odeurs fortes et insoutenables, et la fumée, qui tourbillonnait comme un cerf-volant pris au piège dans une tempête, lui brûlaient les yeux.

Mais ses larmes provenaient également de son âme. L'idée insensée que la destruction complète de cette maison signifierait non seulement la fin des vacances mais aussi celle d'une enfance joyeuse et innocente s'agrippa avec insistance à son esprit. Tourmenté par cette scène et par les paroles étrangement prophétiques de sa mère, il lia le destin de cette maison non seulement à son propre destin (« si la maison est sauvée, cela signifiera que nous reviendrons l'année prochaine ») mais aussi à celui de Julie (« si la maison est sauvée, je la reverrai et l'écouterai avec attention ») et d'Émilie. Et même si cette dernière pensée lui parut tout d'abord malsaine et étrange (« si la maison est sauvée, Émilie le sera aussi »), il s'y agrippa de toutes ses forces, la tenant fermement entre ses poings serrés, s'y abandonnant, comme un marin superstitieux se repose sur la bienveillance d'une divinité protectrice.

Le foyer gagna en intensité. Les flammes montèrent plus haut, espérant toucher la lune impassible, souhaitant incendier la mémoire de chacun pour les longues années à venir. C'est alors qu'un craquement lugubre perça à travers les crépitements du brasier. Un « ooooh ! » de satisfaction s'éleva de la foule, consciente que le bouquet final approchait, et David ne put réprimer un faible « non » quand il comprit que le toit menaçait de s'effondrer à son tour.

Mais alors que chacun piétinait d'impatience (« bon, ça ne va pas durer toute la nuit ») ou pronostiquait l'instant précis de la destruction finale (« tu vas voir, dans cinq minutes c'est fini »), la deuxième lance, que le camion de pompiers tout juste arrivé en compagnie de la gendarmerie venait de déployer, entra en action et freina les ambitions des curieux.

S'ensuivit un combat acharné entre les deux éléments.

Le toit vacilla dangereusement mais demeura en place.

Au fur et à mesure que la puissance des flammes diminuait, les pompiers avançaient de quelques pas, toujours avec lenteur et respect, comme s'ils foulaient le territoire d'anciennes idoles sacrées.

Comble de la frustration, les gendarmes ordonnèrent à la foule de reculer.

David suivit le mouvement mais ne quitta pas la maison des yeux.

— Peut-être qu'elle s'en est sortie, entendit-il.

Samuel apparut et posa une main sur l'épaule de son meilleur ami. Lui aussi arborait des sillons sous les yeux, et David se rendit compte à ce moment que l'air vicié par la fumée avait déposé sur son visage une fine pellicule cendrée.

— Pourquoi ? demanda-t-il en ne pouvant détacher son attention des flammes qui semblaient se recroqueviller sur elles-mêmes.

— Je ne sais pas... Elle ne méritait pas ça... La pendue ne méritait pas ça.

— Non, acquiesça David, heureux du réconfort que lui apportait son ami. Mais c'est la pleine lune. Elle sera peut-être sortie à temps.

Les deux garçons restèrent ainsi un long moment dans la nuit, à espérer que ce fantôme, qu'ils redoutaient tant et dont ils réfutaient en plein jour l'existence, ait pu s'échapper. Ils tentèrent de se souvenir de cette femme, d'honorer sa mémoire et imaginèrent avec tristesse les pirates se tordre de douleur dans l'océan derrière eux.

Peu à peu, le ciel se débarrassa du voile obscur qui l'étouffait depuis plusieurs heures. La lune perça à travers la faible fumée restante et reprit possession des ombres.

— Regarde, là-bas, indiqua Samuel. Ils sont tous là.

En effet, ils étaient là. Sa mère, son beau-père, les employés que David avait croisés le premier soir dans son pavillon. Seul le Rouquin manquait à l'appel. Tous observaient les ruines en silence. Sur le visage des hommes, un sourire discret. Un rictus léger qui signifiait beaucoup. Les enfants virent ce petit groupe se disperser à l'approche des gendarmes. Les militaires questionnaient tout le monde, notaient leurs doutes ou leurs certitudes dans un carnet puis passaient aux suivants.

— Faut que je rentre, précisa David en suivant sa mère du regard.

Elle ne l'avait pas remarqué. Elle se contentait de marcher en fixant le sol.

— Moi aussi, si mon frère me voit dehors, il va me tuer ! À demain ! lança Samuel avant de disparaître en courant.

Les pompiers – David en compta huit – continuèrent d'arroser le site.

Pierre et ses neveux ne faiblirent pas.

Comme lassées de ce jeu stupide, les flammes cessèrent subitement leur danse hypnotique. Une fumée noire et épaisse s'éleva une dernière fois puis se dispersa au gré de la brise marine, tel l'ultime râle d'une bête agonisante.

La foule, vaincue, lança un dernier regard triste face à cette bête morte trop tôt, puis se délita à regret, déçue de l'arrêt soudain du spectacle.

Les pompiers purent faire une pause et échanger avec les gendarmes.

Ce n'était pas la première fois qu'ils se croisaient sur une intervention. Pierre connaissait même le petit nouveau, un gendarme auxiliaire de Saint-Hilaire, qui avait fait les quatre cents coups avec ses neveux avant de trouver sa voie.

— Salut, Henri.

— Salut, Pierre. Vous avez fait du bon boulot. Le feu aurait pu atteindre d'autres maisons, remarqua le jeune gendarme.

— Merci. Heureusement que la seconde équipe est arrivée rapidement, sinon…

— Qu'en penses-tu ? demanda Henri en hochant la tête en direction de la ruine dans laquelle trois pompiers fouillaient les décombres, à la recherche de foyers passifs.

— C'est criminel. À n'en pas douter.

— Pourquoi en es-tu si sûr ?

— D'habitude, un feu se propage à partir d'un point, puis s'étend. On peut suivre son cheminement en tenant compte du terrain, du vent, du matériau de construction… Plus personne n'habite dans cette maison depuis des années. Ce n'est pas un incident domestique. Quand nous sommes arrivés, j'ai tout de suite remarqué qu'il y avait plusieurs foyers de départ. J'en ai compté trois. Les flammes se sont élevées de l'extérieur.

— Des gamins ?

— Des ados, des adultes… qu'importe. Ils voulaient cramer cette foutue baraque, c'est une certitude.

— Bien, merci.

— Henri ! intervint Pierre alors que le gendarme s'éloignait.

— Oui ?

— En arrivant, il y avait un deuxième départ de feu, là-bas, sur la plage des Mouettes. On ne s'y est pas attardés car on avait beaucoup plus à faire ici. Et en plus, sur le sable...

— OK, je vais aller jeter un coup d'œil. Si on ne se revoit pas, fais la bise à Josie de ma part, je passerai peut-être me faire payer un café prochainement.

— Ça marche. Nous, on va laisser les renforts terminer. Je rêve d'une douche glacée.

— À plus.

— Eh, Henri ?

— Oui ?

— Pas de soucis avec mes neveux ? Pas de conneries récemment ? Même un PV ?

— J'ignorais que tu avais des neveux, sourit le gendarme. Bonne douche Pierrot !

Henri Bichaut marcha le long de l'avenue des Mouettes en repensant à son adolescence en compagnie de Sébastien et Bruno. Les soirées plage, les filles, l'herbe... « Heureusement que le vieux Pierre n'est au courant que du quart de nos conneries ! » sourit-il en atteignant la plage.

À peine dix minutes plus tard (après avoir tremblé, vomi et pleuré), Henri fit le chemin inverse en courant. Ses cris alertèrent son chef qui, tout en discutant avec les pompiers de la seconde équipe, observa avec inquiétude son poulain se rapprocher, aussi blanc et hébété qu'un enfant ayant vu un fantôme.

— Bordel ! Qu'est-ce que tu as ? gueula le supérieur face à une attitude aussi peu professionnelle.

— J'ai... j'ai... Sur la plage... Il...

— Reprends-toi ! Que se passe-t-il ?

— Sur la plage... Le feu...

— Merde Henri... Qu'est-ce qu'il y a sur la plage ?

— Je crois... je crois que c'est... Émilie.

Chapitre 12
Le sourd

Mais elle était du monde, où les plus belles choses
Ont le pire destin ;
Et rose elle a vécu ce que vivent les roses,
L'espace d'un matin.

DEUXIÈME PARTIE

Murmures terrestres

« Croyez-vous aux fantômes ?

— Aux fantômes ? Non… non, je ne…

— Vous devriez. Car toute cette histoire est une histoire de fantômes. De ces morts qui reviennent à la vie… De ces vivants qui semblent déjà morts… Tous sont des fantômes. Et tous ont un message à porter. Pensez-y. N'oubliez jamais. Répétez-le et gardez-le en tête avant que vos souvenirs ne deviennent eux-mêmes des fantômes… »

Août 1986

Le lendemain de l'incendie, les parents d'Émilie furent convoqués à la gendarmerie de Saint-Hilaire-de-Riez. Ils arrivèrent d'un pas hésitant, à la fois intrigués et effrayés par ce qu'ils pourraient découvrir en passant la porte. La personne qu'ils avaient eue au téléphone était restée évasive. Elle avait évoqué de nouveaux éléments retrouvés durant la nuit mais avait refusé de donner plus de détails.

Ce fut Henri qui les accueillit. Lui aussi semblait ne pas avoir dormi depuis des jours. Il leur proposa une boisson puis les installa dans une pièce exiguë en précisant que son supérieur ne tarderait pas. À peine cinq minutes plus tard, l'adjudant pénétra dans la pièce, muni d'un sac en plastique opaque et s'assit face à eux, tandis qu'Henri se contenta de rester debout, appuyé contre le mur du fond.

— Madame et monsieur Dupuis, je vous remercie d'être venus aussi rapidement.

— Que se passe-t-il ? demanda immédiatement la mère.

— Ce n'est peut-être pas grand-chose mais nous avons de nouveaux éléments, indiqua le gendarme.

— Vous l'avez retrouvée ? Vous avez retrouvé notre petite fille ? intervint M. Dupuis, le regard implorant.

— Je ne peux pas encore répondre à cette question. Tout d'abord, je vais vous montrer quelque chose.

L'adjudant posa le sac sur la table et en sortit le contenu lentement, avec respect.

Les parents d'Émilie restèrent silencieux. Ils fixaient avec effroi le bermuda bleu, le tee-shirt rose et la paire de sandales qui venaient d'apparaître devant eux.

Nous y sommes, songea Henri en observant le couple. *Bientôt ils vont s'écrouler, hurler, pleurer, demander des explications. Je devrai alors leur raconter que les habits ont été retrouvés à côté du corps. Ensuite, j'évoquerai le cadavre en grande partie brûlé de leur fille. Leur unique enfant, recroquevillée sur elle-même dans une posture éternelle, les poignets et les chevilles liés avec un câble métallique. Je ne parlerai pas de l'extrême combustion que l'essence aura causée. De la peau qui cloque et se craquelle jusqu'à disparaître. De la graisse humaine qui fond à son tour et alimente le feu. Des cheveux qui s'enflamment en un claquement de doigts, des yeux qui s'assèchent et se vident. Ni de ce visage qu'ils aimaient tant embrasser et qui à présent n'existe plus. J'oublierai d'évoquer l'odeur de viande carbonisée dont j'ai essayé de me débarrasser toute la nuit sous la douche. Je ne leur montrerai pas davantage les photos que nous avons prises avant de déplacer le corps. Ils n'y verraient qu'un cadavre sombre et repoussant, et cette vision brûlerait à jamais les souvenirs de leur fille. Les voici, les premières larmes. Elle se penche dans ses bras. Il l'accueille d'un geste mécanique, sans substance, hagard. Leur propre mort n'a jamais été aussi proche. Ils doivent le ressentir, eux aussi. Peu de parents survivraient d'ailleurs…*

Le militaire laissa quelques minutes s'écouler avant de reprendre la parole. Lui non plus n'avait jamais eu à s'occuper d'une affaire comme celle-ci. Malgré son grade, il n'en savait pas plus sur les enlèvements et les meurtres que l'auxiliaire présent dans la salle. Saint-Hilaire était une petite ville balnéaire. Des excès de vitesse. Des conduites en état d'ivresse. Quelques cambriolages, surtout en haute saison pendant que les vacanciers se prélassent sur la plage. Mais un enlèvement puis un meurtre…

Jamais.

Ce qu'il voulait avant tout, c'était fuir cette pièce et son malheur qui semblait étouffer la moindre bouffée d'oxygène. Il voulait retrouver la routine mécanique d'une petite ville. Il décida que son premier acte, une fois les silhouettes des parents évanouies, serait de retirer les avis de recherche. Un geste symbolique qui lui permettrait de passer à autre chose et d'oublier la vision d'un squelette aux os sombres comme du charbon. Sans doute s'assiérait-il sur la plage afin de jeter au large les souvenirs de cette nuit. Le seul moyen de ne pas se noyer serait de se plonger dans les bras des vivants. Il rentrerait donc chez lui et serrerait fort sa femme et sa fille contre lui. Puis le lendemain, il se lèverait et retournerait aux affaires de conducteurs imprudents ou de tapage nocturne.

Il pourrait respirer à nouveau.

— Je sais que c'est une épreuve difficile pour vous mais je dois vous poser la question : reconnaissez-vous ces vêtements ?

— Je… quand on nous a demandé ce qu'elle portait la dernière fois qu'on l'a vue… nous n'étions pas sûrs…

vous savez, les petites filles se changent tout le temps et…, s'étrangla Mme Dupuis.

— Je comprends. Prenez votre temps. Regardez-les attentivement et dites-moi.

Henri aperçut une boîte de kleenex posée sur l'une des étagères de la pièce. Il la saisit, remarqua qu'elle n'avait jamais servi, et la posa discrètement sur la table.

— Merci, murmura Mme Dupuis.

Et ce simple mot, alors que le monde de cette femme s'écroulait comme un château de cartes, que l'enfant unique qu'elle avait aimé plus que tout venait d'être retrouvé ligoté et brûlé, toucha Henri au plus profond de son âme.

— Ces vêtements appartiennent-ils à votre fille ? reprit, toujours avec douceur, l'adjudant.

Il s'était concentré pour ne pas dire « appartenaient-ils ». Il fallait une réponse. Pour que sa vie retrouve sa stabilité. Pour que l'été revienne. Pour que ce couple assis face à lui puisse entamer le long et tortueux processus du deuil. L'adjudant se mit à les implorer secrètement. *Reconnaissez ce bermuda… Revoyez le jour où vous lui avez acheté ces sandales… Laissez votre fille partir… Libérez-nous de son fantôme… N'ouvrez pas la porte à cette autre possibilité qui m'empêche de respirer convenablement… Ne faites pas cela…*

— J'en suis certaine, articula la femme en se séchant les yeux avec un mouchoir. Ces habits n'ont jamais appartenu à Émilie.

L'adjudant accusa le coup.

Henri se détacha du mur.

Il savait que son supérieur possédait un autre élément dans sa poche. Comme lui, il savait que parfois le stress et la fatigue affaiblissaient la mémoire, même s'il lui semblait improbable que des parents ne reconnaissent pas les habits qu'ils avaient sans aucun doute eux-mêmes achetés. Il vit son chef mettre sa main dans sa poche et en sortir un sachet beaucoup plus petit que le précédent.

Il arrêta de respirer.

— Je comprends, madame. Je vous crois mais je vais vous montrer un objet qui a été retrouvé à côté des habits. Je pense que cela vous parlera peut-être plus qu'un bermuda ou qu'un tee-shirt.

Lorsqu'il découvrit le contenu du sachet, ce fut le père d'Émilie qui prit la parole, suivi de près par un « merci mon Dieu » de soulagement que sa femme prononça en joignant ses mains.

Une odeur de brûlé asphyxia soudain l'esprit des deux gendarmes.

Ils congédièrent le couple en balbutiant des promesses et des paroles rassurantes. Ils promirent de revenir vers eux rapidement, dès que l'enquête progresserait. Puis ils retournèrent dans la salle et s'assirent à la table. Pas un ne parla durant de longues minutes. Ils fixèrent les éléments en essayant de trouver une quelconque réponse.

Mais aucune ne vint.

Seuls les mots de M. Dupuis trouvaient un passage jusqu'à eux.

Comme un murmure spectral chuchoté à l'oreille des vivants.

Comme une ombre menaçante échappée du pied d'un arc-en-ciel.

« Non, ceci non plus n'appartient pas à Émilie. Elle n'a jamais porté de bracelet brésilien. J'en suis certain. »

1

Mardi 15 août 2017

Comme tous les quinze jours, Henri se rendit à la maison d'arrêt de La Roche-sur-Yon au volant de sa vieille Fiat Panda. Il parcourut les cinquante kilomètres qui le séparaient de Saint-Hilaire en maudissant les touristes et leur conduite contemplative. Il eut peur d'arriver en retard et de devoir rebrousser chemin. Mais heureusement, une voiture garée boulevard d'Angleterre, à quelques mètres de la maison d'arrêt, libéra une place qui lui fit gagner de précieuses minutes.

13 h 35.

Plus que dix minutes avant l'horaire imposé.

Le soleil brillait lourdement. Toute trace de l'orage avait disparu et une chape de chaleur rendait le moindre geste inconfortable.

Il passa la porte métallique au petit trot, déclina son identité à l'accueil (« Eh bien Henri, c'était moins une ! » remarqua le gardien en tapotant sa montre), remplit le formulaire puis se joignit au groupe de visiteurs qui se dirigeait déjà vers le parloir.

Tout comme ses détenus, la prison se trouvait en sursis. Sur le podium des établissements les plus surpeuplés de France depuis des années, elle attendait avec impatience la construction d'une nouvelle prison à Fontenay-le-Comte, à quelques kilomètres. Là-bas, la capacité devrait être de deux cent cinquante lits, contre quarante pour La Roche.

Quarante places.

Pour quatre-vingts détenus.

Bien installée sur le podium.

Les visiteurs s'assirent et attendirent l'arrivée des prisonniers. Toutes les tables de la pièce étaient à présent occupées. Des femmes, des enfants, des parents, un melting-pot de vies bousculées qui venaient faire le plein d'espérance pour les jours à venir, jusqu'à la prochaine visite.

À peine cinq minutes plus tard, une porte s'ouvrit, les détenus entrèrent et rejoignirent les visages connus tandis qu'un maton refermait derrière eux et se postait contre le mur du fond. « Vous avez quarante-cinq minutes », précisa le surveillant. L'ancien gendarme serra la main de l'homme qui venait de s'asseoir face à lui. En d'autres lieux, en d'autres temps, ils s'étaient serré la main tous les jours, à l'entrée du lycée René-Couzinet de Challans, où ils étaient tous les deux élèves. Cela semblait si loin.

— Comment vas-tu depuis ma dernière visite ?

— Ça va, on s'occupe.

— Ta mère t'embrasse, je suis passé la voir avant de venir. Elle t'a préparé ta chambre.

— Elle a le temps, je ne sors que dans six mois.

— Elle n'est pas très en forme, tu sais.

— C'est pour cela qu'elle ne vient plus ?

— Oui. Tu devras t'occuper d'elle en sortant. Vous avez du temps à rattraper.

— Trente et un ans exactement.

— Oui, trente et un ans au lieu de quarante. Ta bonne conduite t'a fait gagner huit ans.

— Et mon innocence m'en a fait perdre trente et un.

— Écoute, j'ai un ami qui tient un restaurant et qui aura besoin d'un coup de main. Je lui ai parlé de toi. Il est prêt à te prendre pour la prochaine saison.

— Où ça ?

— À Saint-Hilaire.

— Tu penses vraiment que je vais retourner là-bas ?

— Les gens ont oublié… De l'eau a coulé depuis cet été-là…

— Les gens ne m'oublieront jamais. Pour eux, je suis un assassin. Un tueur d'enfants. Beaucoup d'entre eux ont écrit à Mitterrand pour qu'il rétablisse la peine de mort. À cinq ans près, j'y passais…

— Il y en a aussi qui sont persuadés que tu n'as rien fait.

Les deux hommes observèrent en silence les autres tables. Certains des détenus se trouvaient là par manque de chance. Une bagarre ayant mal tourné. Un vol pas suffisamment préparé. Un fusil de chasse mal maîtrisé. Mais pas un d'entre eux ne passerait trente et un ans en prison. Pas un d'entre eux n'était coupable d'avoir tué deux jeunes filles en plein été.

— Et Nantes ?

— Bien partis. Ce coach italien fait des miracles, ils ont gagné tous les matchs de préparation.

— Tu sais ce que je ferai quand je sortirai ? J'irai voir un match du FC Nantes. Je me noierai dans la foule et je gueulerai toute ma colère sous le maquillage des encouragements. On ne peut pas gueuler ici. On ne peut pas extérioriser. On garde tout à l'intérieur, les larmes, l'injustice, la peur… C'est enfermé là, dans notre propre prison, précisa-t-il en posant son index contre sa tempe.

— Je me ferai un plaisir de t'accompagner.

Lorsque le surveillant indiqua la fin du temps imparti, Henri promit de revenir dans quinze jours. D'ici là, personne ne lui rendrait visite. Sa mère était trop malade pour se déplacer, du moins, c'était ce qu'Henri prétendait. Mais Olivier, lui, connaissait la véritable raison. Il l'avait lue dans son regard, durant ses dernières visites. Il avait perçu le doute dans les yeux maternels. Puis dans sa voix, dans ses gestes qui se firent distants au point de ne plus oser le prendre dans ses bras avant de quitter le parloir.

Au début, pas un ne le crut coupable.

Mais avec le temps, tous s'y résolurent.

Les voisins. Les amis. Sa propre famille.

Y compris sa mère.

Henri mit plus d'une heure à rentrer chez lui. Durant le trajet il repensa à cette année 1986. « Pourquoi viens-tu me voir ? » lui avait demandé celui qui, à l'époque, n'était qu'un gamin effrayé par la prison dans laquelle il venait d'être incarcéré.

— Parce que je sais que tu es innocent, affirma le gendarme auxiliaire.

— Personne ne me croit. Mon avocat me conseille de plaider coupable.

— Si, ta mère te croit, et moi aussi. Nous sommes deux, il y en aura d'autres, c'est un bon début.

— Je ne les ai pas tuées.

— Je sais, je te connais. Ne t'inquiète pas, tout va bien se passer. La justice est parfois longue mais toujours juste.

Henri pria pour que son ami sorte rapidement de cette poudrière. Il était gendarme, il savait ce qui se passait en prison. Il connaissait également les tortures que l'on faisait subir à ceux qui avaient touché des enfants.

— Tu reviendras me voir, Henri ? implora le garçon.

— Tous les quinze jours, promis.

Henri arriva chez lui le cœur lourd. Comme à chaque fois. Mais il s'accrocha à la date inscrite sur le procès-verbal émis par le juge de l'application des peines. Huit ans de moins à tirer, et une sortie prévue dans six mois.

En ouvrant sa boîte aux lettres, il découvrit une enveloppe kraft de couleur marron ainsi que des prospectus publicitaires qu'il jeta directement dans la poubelle du hall de l'immeuble. Intrigué, il retourna l'enveloppe pour vérifier la provenance et l'expéditeur mais aucun nom ni adresse n'y figuraient. D'ailleurs, cette enveloppe semblait avoir été directement déposée car il n'y avait ni timbre ni tampon postal. Henri monta les marches et pénétra dans son modeste F2. Un chat à moitié endormi l'accueillit en s'étirant puis vint se frotter contre ses jambes, manquant de le faire trébucher.

— Bon sang, Whiskas ! pesta-t-il en le repoussant du pied.

Le chat émit un miaulement de désaccord puis disparut en direction de la chambre sans demander son reste.

De qui cela peut-il venir ? se demanda Henri en décachetant l'enveloppe.

Il pénétra dans le salon. Quelques reliques de sa courte carrière de gendarme trônaient sur un meuble Ikea. Un diplôme. Une photo en tenue de service. Rien de plus. Depuis sa démission, en 1987, il avait multiplié les petits boulots. La plupart comme plongeur dans des restaurants de bord de mer, où l'on vendait comme frais des produits surgelés que les touristes avalaient sans rien remarquer. Il s'improvisa même mécanicien dans un garage et maçon dans une entreprise locale.

Seulement, pas un de ces boulots ne lui convint. Alors il erra d'agence d'intérim en agence d'intérim, accumulant les lignes insignifiantes sur son CV, multipliant les allers et retours à l'ANPE, où les conseillers impersonnels étaient devenus à la longue des prénoms qui le tutoyaient. Il en était de même dans sa vie sentimentale. Naviguant de veuves éplorées en femmes infidèles, ses aventures d'un soir se transformaient parfois en aventures d'une semaine, mais rarement plus.

Ainsi, son questionnement quant à l'identité de l'expéditeur fut réel et sincère. Henri n'avait simplement plus aucun ami, amie, ex se souvenant avec intérêt de lui, aucun enfant, frère, sœur, mère, père ou autre « personnage » susceptible de lui écrire. À cinquante ans, ce constat sonnait comme une condamnation. Mais après tout *mieux vaut être seul que mal accompagné !* se mentait-il les soirs de déprime.

Il sortit de l'enveloppe une dizaine de pages dactylographiées.

« *La première fois que David vit Julie, ce fut le 12 août 1986. Il faisait si chaud ce vendredi-là que les grains de sable restaient collés sur la peau* », annonçait la première phrase.

2

— Un putain de poème !

Voilà ce que je lançai à Samuel lorsqu'il franchit la porte le lendemain.

— Ce chapitre douze est un putain de poème !

Je n'avais pas dormi de la nuit.

Mes mains tremblaient, je peinais à trouver mes mots. Le fait que j'arrive à tenir debout sur mes deux jambes relevait du miracle. Hier, lorsqu'en larmes face à ces vagues de souvenirs douloureux, je découvris le douzième chapitre et la fin du texte, je ne pus m'empêcher de froisser les pages de colère. Je les jetai loin de moi et me dirigeai, tout en vitupérant à voix haute contre l'enfoiré qui se permettait d'extraire des profondeurs ce que j'avais pensé suffisamment enfoui dans l'oubli, vers le bar pour saisir une bouteille de whisky.

Je passai de longues heures ainsi, aussi malheureux et solitaire qu'un naufragé. À un moment, n'en pouvant plus, je sortis sur la terrasse et poussai un hurlement. Ce cri, que j'espérai puissant et libératoire, se mua en un mélange de sanglots et de paroles éthérées dont les mots s'envolèrent sans assourdir quiconque. La liste des personnes sur lesquelles je passai ma rancœur fut longue cette nuit-là. Je me souvins même d'avoir insulté la vieille et son chien. Mais mes reproches jetèrent particulièrement l'ancre sur tous ceux que ce récit de mon enfance venait de convoquer dans ma vie d'adulte. Le Rouquin. Les anonymes de l'usine. Ma mère et l'autre enfoiré. Tatie. Ce gendarme qui était venu très tôt le lendemain pour interroger le voisinage. Samuel. Émilie.

Et finalement Julie.

Le seul sur lequel je n'avais pas encore craché, c'était moi. Et durant la deuxième partie de la nuit, c'est ce que je fis. Je me reprochai mon silence de l'époque, mon manque de courage face aux adultes, ma surdité et mon incompréhension, mes pleurs et mes cauchemars…

Puis je revis ces scènes où j'aurais pu agir autrement. Ces premières morts que j'assassinai à mon tour.

Je me dressai face à la maison du patron en hurlant que je ne croyais plus aux histoires de fantômes et de pirates murmurant le nom de leur déesse protectrice.

Sur chaque poteau électrique qui longeait l'avenue des Mouettes, j'arrachai de mes mains redevenues petites et enfantines les affiches présentant le visage d'Émilie, effaçant ainsi celle par qui tout avait commencé.

J'égorgeai mon beau-père avec le plastique fendu de mon bol de céréales. Il me regardait avec ses yeux gonflés d'épouvante, sa main droite tentant de retenir le sang qui s'échappait de sa gorge, tandis que des bulles épaisses d'oxygène et de sang se gonflaient puis éclataient entre ses doigts et que des borborygmes ridicules psalmodiaient une quelconque prière.

Je contredis ma mère lorsque celle-ci m'assura que tout allait bien. Je lui hurlai que ce n'était pas vrai, que son bonheur n'était que mensonge, faiblesse et illusion, que les premières morts ne devaient en aucun cas être acceptées mais combattues et lui conjurai de ne pas fixer ainsi la maison du patron, car la folie et la mort pourraient s'emparer d'elle comme elles l'avaient fait de la pendue.

Durant des heures, je repoussai ainsi chaque souvenir qui avait fait de moi ce que j'étais. Je maudis mon enfance et ses fantômes comme un mourant pourrait maudire sa maladie.

Puis, une fois ma furie assouvie et la bouteille terminée, je me suis mis à tous les regretter.

Tous ces personnages.

Et le décor autour.

Les grains de sable roulant sous mes pieds.

Le vent salin qui m'asséchait le visage et que ma mère combattait à coups de crème Nivea.

Le goût nauséeux mais pourtant précieux de l'océan après avoir bu la tasse.

Le soleil qui se couchait tendrement et vous fixait d'un air complice, semblant murmurer « on s'est bien marrés aujourd'hui, mais demain, ce sera encore mieux »...

Je les pleurai tous, comme je me pleurais moi-même. Car si les descriptions présentes dans les différents chapitres se révélaient en partie fidèles, je comblai les vides en me rappelant des détails que le texte n'avait pas précisés.

Je revis ce maudit et vénéré bol. Le chimpanzé portait un bermuda en jean bleu, les pages ne le précisaient pas.

Le désodorisant accroché au rétroviseur de la Super 5 me donnait mal à la tête lorsque les vitres étaient toutes fermées. Longtemps je crus que mon beau-père choisissait exprès ce parfum. De cela non plus le texte ne parlait pas.

Ma mère avait aussi connu des périodes heureuses, cela n'était pas évoqué. Je passai un long moment à les revivre, comme pour rendre justice à sa mémoire et à la divinité protectrice qu'elle fut pour moi. Ces moments de rire que l'on partageait devant un film. Mes sourires lorsque je l'aidais à réaliser une tarte, le visage couvert de farine, les doigts autant beurrés que le moule. Ses mains me caressant les cheveux alors qu'elle me lisait une histoire et que moi, confortablement installé dans mon lit, sous la chaleur de ma couette, je l'observais du coin de l'œil, d'un regard humide.

Je pleurai tous ces moments. Les mauvais, bien sûr, mais aussi les bons, car ils avaient disparu, me laissant seul avec la cruelle certitude de ne jamais pouvoir les retrouver. Tous devinrent mes premières morts. La pendue fut même invitée à l'enterrement de mon enfance. Mais je ne la visualisai plus comme un fantôme accroché à une corde. Même si je n'avais aucun souvenir d'elle avant son suicide, je l'imaginai belle et lumineuse, et la douceur qui émanait de son sourire m'accompagna alors que le soleil du jour naissant réchauffait mon visage triste et épuisé.

— Un poème ?

Samuel non plus n'avait pas l'air en forme. Il ferma la porte d'entrée et me suivit dans la cuisine. Pendant que je m'affairais à préparer du café (*bordel, où Sarah range-t-elle les filtres ?*), mon meilleur ami m'écouta lui raconter ma nuit, en fumant son cigare, assis sur une chaise en aluminium, face au plan de travail en granit noir Eggersman.

— Oui, un poème.

— Et tu t'es descendu une bouteille entière ?

— Du vingt et un ans d'âge, que j'ai d'ailleurs vomi par-dessus la rambarde de la terrasse. J'ai regardé le tout s'écraser sur le sable et former des taches de Rorschach. Amusant, non ? lançai-je, amer.

— Je t'avais dit de tout jeter…, souffla Samuel qui me connaissait assez pour savoir que j'étais sur le point d'exploser.

— Oui, et tu m'avais aussi dit de t'attendre avant de lire le douzième chapitre. Merde, où sont les filtres, bordel !

— Laisse tomber, utilise ta machine à capsules…

— Non, j'ai besoin d'un litre de café pas d'un expresso ! criai-je soudain en me retournant vers Samuel.

Mes yeux me brûlaient. Ma gorge également. Mon corps entier me faisait souffrir. J'étais soulagé que Sarah ne me voie pas dans cet état. *Peut-être dans ce placard…*

— Tu n'as pas dormi de la nuit ? demanda-t-il en me regardant fouiller tiroirs et placards comme un junkie à la recherche d'une dose égarée.

— Non, et toi ?

— Un peu, mais mal. C'est peut-être que des conneries tout ça, tu sais…

— Je ne suis plus un gamin, Sam, je n'ai pas besoin d'être rassuré.

C'est en prononçant ces paroles qu'une seconde vague de tristesse s'abattit sur moi. Je restai immobile, les mains appuyées contre le plan de travail, tournant le dos à Samuel qui, comprenant que j'étais en train de craquer, quitta sa position pour venir à côté de moi.

— On a tous besoin d'être rassurés, murmura-t-il en posant une main sur mon épaule comme il l'avait fait alors que nous nous trouvions côte à côte face à l'incendie, des années auparavant. Laisse tomber le café. Accorde-toi une heure. Prends une douche, allonge-toi et on reparlera de tout ça après. Nous ne sommes pas en état.

Je l'écoutai. N'ayant plus la force de protester, je montai à l'étage et m'allongeai sous le tableau d'une mer apaisée dans laquelle j'aurais tant souhaité me noyer.

Je me réveillai en sueur et perçus de légers bruits provenant du rez-de-chaussée. Je tendis l'oreille, pensant entendre le son des talons de Sarah battre le marbre du hall d'entrée, mais son absence et notre querelle de la semaine dernière nagèrent jusqu'à ma raison. Je pris une douche revigorante, avalai trois comprimés antimigraine et enfilai des vêtements propres avant de descendre, attiré par l'odeur de café.

— Dans le placard de gauche, derrière les céréales, m'expliqua Samuel en me tendant une grande tasse. Et pas de goutte autour de la tasse, ajouta-t-il en me souriant.

— J'ai dormi combien de temps ?

— Trois heures, mais il t'en faudra beaucoup plus pour te remettre.

— Merci, dis-je en saisissant le café.

Nous nous assîmes chacun d'un côté du plan de travail et bûmes en silence.

— J'ai peur, lui avouai-je après un certain temps.

— De quoi ?

— D'être un personnage.

— Qu'est-ce que tu racontes ?

— En tant que romancier, je passe mon temps à inventer des personnages. Je les habille, je dicte leurs paroles et leurs actes, je les fais vivre ou mourir comme bon me semble. J'ai le pouvoir absolu. Et là, j'ai peur d'être devenu à mon tour un personnage. J'ai l'impression que quelqu'un réécrit mon passé sans que j'aie quoi que ce soit à en redire. Le plus troublant est que cela est en partie véritablement en train de se produire. Je suis le personnage principal de plusieurs chapitres, et « l'auteur » qui a créé ces chapitres, en plus de ne pas terminer son récit, ne me donne aucune raison véritable de l'avoir écrit. Je pourrais inventer une histoire là-dessus, des personnages coincés dans une narration et qui attendent cruellement que leur géniteur les sorte de là. Mais l'écrivain serait mort, et les personnages coincés pour l'éternité…

— Hum… le coup de l'écrivain qui devient un personnage, déjà fait, Paul Auster dans *Cité de verre*. Mais je suis heureux de voir que ton imagination fonctionne toujours ! ironisa Samuel en recrachant une volute de son cigare hors de prix. En tout cas, c'est à mon tour d'être le personnage principal…

— Je t'écoute.

Il sortit une feuille de la poche de sa veste et la posa devant lui. À la voir, toute chiffonnée et froissée, je compris que mon ami était passé par les mêmes épreuves que moi après avoir lu le récit de notre enfance. Peut-être avait-il brûlé le reste. Il avait toujours eu plus de courage que moi.

— Ton douzième chapitre ?

— Oui. Et ce n'est pas un poème. Crois-moi, j'aurais préféré. Ne me juge pas, s'il te plaît, prévint-il, j'étais un enfant et malgré mes muscles et mon assurance, j'avais peur de lui. Tout comme toi.

Chapitre 12
Le muet

Août 1986

Samuel aperçut son frère à une dizaine de mètres, de l'autre côté du périmètre de sécurité mis en place par les pompiers. Celui-ci, entouré de collègues de l'usine et des parents de David, observait le feu grandir sans ciller.

— Regarde, là-bas, indiqua-t-il à David, qui se tenait à ses côtés. Ils sont tous là.

Des ombres enflammées dansaient contre les silhouettes du groupe, éclairant sporadiquement leurs sourires malfaisants. Tous fixaient la maison. Ils ne la quittaient pas des yeux. Comme possédés.

Samuel comprit qu'ils resteraient là, subjugués par le spectacle, jusqu'à ce que l'incendie disparaisse complètement. Pas un n'oserait bouger avant. Et le garçon en connaissait parfaitement la raison. Le rictus de satisfaction affiché fièrement par Fabien, le torse bombé, les deux mains dans les poches de son jean, n'était qu'une simple confirmation. Il se doutait depuis plusieurs semaines que son frère manigançait quelque chose. Son comportement étrange... Ces « réunions » qui remplaçaient les apéritifs festifs des soirs de vacances... Son silence lors des rares dîners qu'ils partageaient... Son regard empreint de colère étouffée... Tout cela aurait dû l'alerter.

Même avant d'arriver ici, il y avait eu quelques avertissements.

À l'école, certains le murmuraient depuis peu : « L'usine va fermer. Nos parents vont se retrouver à la rue. C'est mon père qui l'a dit. »

Mais peu d'entre eux y croyaient véritablement.

L'usine avait toujours été là.

« Et M. Vermont, il ferait jamais ça. »

Puis, Samuel vit son frère rentrer chaque soir un peu plus en colère. Il pouvait l'entendre, à travers la fragile cloison de leurs chambres, maudire ce patron qu'il avait autrefois vénéré. « Il va payer, l'enfoiré ! » lançait-il avant de claquer sa porte. Parfois même il lui semblait l'entendre pleurer. Mais il n'en était pas certain et n'aurait jamais pris le risque de lui demander. Comme d'habitude, leurs parents firent semblant de ne rien voir et ignorèrent la détresse sourde de leur aîné. « Dans notre région, un homme doit apprendre à se débrouiller seul », aimait à répéter leur père, confortablement installé à table tandis que leur mère lui servait le repas, en parfaite contradiction avec son mantra.

— Et les femmes aussi. Tout le monde, enchérissait-il en sortant son opinel de sa poche.

— Et grand-mère « Côte d'Or » aussi ? demanda Samuel en pensant à sa grand-mère paternelle qui avait l'habitude de le garder après l'école.

— J't'ai déjà dit de pas appeler ta grand-mère comme ça ! Tu crois qu'elle aurait survécu à la guerre si elle n'avait pas appris à se débrouiller ! Mange, il sortira quand il aura faim. Faut pas croire à toutes ces conneries au sujet de l'usine. Le Vermont, il est pas comme ça. Son père était un homme d'honneur. Son fils aussi c'en est un. Passe-moi le vin.

— D'accord, papa, acquiesça le garçon en jetant un dernier regard inquiet en direction de la porte de son frère qui, malgré les odeurs de poulet et de purée, restait close.

Plusieurs jours passèrent avant que l'humeur de Fabien ne revienne à la normale. Samuel se dit alors que les vacances qui approchaient (c'était une dizaine de jours avant de partir pour Saint-Hilaire) en étaient la principale raison. Il se persuada même que toute cette histoire à propos de la fermeture de l'usine n'était qu'une rumeur à laquelle son grand frère avait accordé trop d'importance. Passer un peu de temps ensemble leur ferait du bien à tous les deux. Jouer au ballon. Partager des cigarettes sans avoir à se cacher des parents. Finir ses fonds de bière. Se rendre au Bois Tordu. L'écouter raconter la légende de la pendue en faisant semblant (mais pas tant que cela) d'y croire…

Seulement, aussitôt arrivé avenue des Mouettes, après plusieurs heures de route, son frère se replia dans son mutisme et sa mauvaise humeur. Puis, le premier soir, lorsqu'il revint de la réunion organisée chez David, une lueur fauve s'était immiscée dans le regard de Fabien. Samuel y lut un mélange de détermination et de peur. Il l'écouta prononcer des paroles auxquelles il n'attribua aucun sens sur le coup : « On va se débrouiller frangin, on va le faire payer... On sait comment l'atteindre... »

Et maintenant, à le voir sourire ainsi, devant les ruines de la maison du patron, Samuel comprit la portée de chaque mot avec effroi.

David prévint son ami qu'il devait partir. Devant eux, le groupe commençait à se séparer, chassé par la présence menaçante d'un gendarme.

— Moi aussi, si mon frère me voit dehors, il va me tuer ! On se voit demain ! lança Samuel avant de disparaître en courant.

Le garçon piqua un sprint le long de l'avenue des Mouettes, puis il ralentit son allure, le souffle court, se disant que son frère allait sans aucun doute traîner encore un peu avec ses collègues. Il marcha cependant d'un pas vif, peu rassuré par le silence pesant des rues désertes. Normalement, à cette heure-ci, il y avait toujours des personnes qui profitaient un dernier instant de la fraîcheur nocturne avant de regagner leurs pénates. « Mais tout le monde s'est rassemblé autour de la maison », regretta Samuel qui aurait bien aimé que des discussions et des présences ponctuent ici et là son parcours.

Il eut la désagréable impression d'être le seul être vivant sur une terre ravagée par l'apocalypse. Comme si le quartier fantôme situé plus loin avait profité de la diversion des flammes pour s'étendre et déployer sa silhouette à travers les maisons orphelines, étouffant tout bruit, étouffant toute vie. Samuel tenta de chasser cette vision de son esprit. Mais rien n'y fit. Il imagina un serpent de sable ondulant à travers les jardins, s'immisçant sous le jour des portes pour se glisser à l'intérieur des pièces et agrandir ainsi son territoire. En rentrant chez eux, les habitants trouveraient normal de ressentir des grains de sable sous leurs chaussures. Ils se coucheraient sans aucune crainte. Ne se doutant nullement qu'une fois les lumières éteintes, le sable éparpillé malicieusement dans la maison roulerait et se regrouperait pour reformer le serpent, rampant sournoisement vers les vacanciers endormis, profitant de leur sommeil pour les emprisonner à jamais...

Le garçon avançait à présent d'un pas plus soutenu. Il ne lui restait que quelques dizaines de mètres à parcourir. Mais pour cela il devait longer le quartier fantôme puis traverser le chemin menant au parking des Mouettes. Il ferma les yeux en se concentrant. Au loin, derrière les pavillons abandonnés les vagues retentissaient avec vacarme. Elles semblaient lui lancer des avertissements. Samuel tenta de les ignorer, tout comme il ignora les bâtisses qui se profilaient de manière menaçante dans la nuit claire.

C'est en atteignant la limite du quartier fantôme qu'il entendit la voix d'un homme résonner dans le silence. Immédiatement, il s'immobilisa derrière une rangée de thuyas. Cette voix, qui à présent se taisait, comme si elle avait deviné sa présence, lui sembla familière. Samuel se baissa lentement et avança avec précaution, en adoptant un pas plus léger afin de ne pas se faire remarquer. La crainte que Fabien ne l'ait vu tout à l'heure lui brûla les joues. Et si son frère était passé par un raccourci pour le prendre sur le fait et lui faire passer un mauvais quart d'heure ?

Sous le regard plein de la lune, le garçon se faufila, la peur au ventre, dans l'allée perpendiculaire au parking des Mouettes. Son cœur battait la chamade. Plus que cette allée à traverser avant de pouvoir se ruer dans son pavillon et se planquer sous les draps. Il se concentra, à l'affût de tout bruit suspect. Sa première idée fut de foncer tête baissée. Mais si son frère l'attendait, c'était le meilleur moyen de se faire avoir. Alors il resta un long moment immobile, tapi contre le bouclier végétal, espérant que le propriétaire de la voix se lasserait. Au bout de ce qui lui sembla une éternité, il se décida à avancer jusqu'à l'allée du parking. En bordure du chemin, Samuel tourna la tête vers la mer pour s'assurer qu'aucune ombre ne se cachait.

C'est alors qu'il les vit.

Deux silhouettes lui tournaient le dos et avançaient côte à côte vers le parking.

L'une était de taille adulte et tenait fermement la seconde, un enfant, par le bras. Samuel observa leur fuite en se recroquevillant de temps à autre sur lui-même pour éviter les regards nerveux que l'adulte lançait derrière lui.

« Où vont-ils ? » se demanda le garçon, conscient qu'après ce côté-ci du parking ne se trouvait plus aucune maison. Il fit le mort quelques secondes, accroupi contre le thuya et tendit une dernière fois

la tête en espérant que la voie fût libre. « Merde », pesta-t-il en découvrant que les deux inconnus s'étaient arrêtés et se tenaient immobiles à côté d'une voiture, visages tournés vers sa position. « Je vais être obligé d'attendre qu'ils dégagent avant de traverser le chemin. Pourvu que mon frère... »

Soudain, il se tut.

Il venait de reconnaître la grande silhouette.

Un souffle glacial l'entoura et le fit frissonner. Le jeune garçon pria pour que ce soit une erreur. Il repoussa l'image furtive que ses yeux avaient captée un instant plus tôt et que son esprit apeuré passait maintenant en boucle.

Mais malgré lui, il revit les deux silhouettes. Ainsi que le réverbère au-dessus d'elles. Son regard suivit la lumière spectrale qui auréolait le visage de l'adulte. Et une cicatrice apparut. Ainsi que des cheveux roux. « Le Rouquin », murmura-t-il d'une voix qui lui sembla étrangère, une voix montée depuis l'abysse de sa peur la plus profonde. Alors que les muscles de ses jambes se tendaient pour le porter le plus rapidement possible loin de cette scène (et tant pis si le Rouquin le voyait, tant pis si le lendemain son frère lui collait une raclée pour ne pas lui avoir obéi), une seconde image zébra sa conscience, lui coupant le souffle, le paralysant entièrement : la petite silhouette qui tentait de délivrer son bras. Elle aussi, il l'avait reconnue.

Julie.

Il lui fut impossible d'esquisser le moindre geste. Son esprit fut incapable d'assimiler ce que ses sens paniqués lui envoyaient comme information.

Julie.

« Non, c'est impossible... Julie doit dormir à cette heure-ci... Ça ne peut pas être elle... », balbutia-t-il, tandis que le vent marin charriait jusqu'à ses oreilles les roulements lugubres de l'océan. Il ferma fort les paupières et resta un long moment prostré sur le sol, à prier que tout cela disparaisse, les vagues déchaînées, les flammes au loin, le Rouquin, Julie, la pendue qu'il redoutait de croiser elle aussi si jamais il rouvrait les yeux... Il prononça le prénom de son frère. Il souhaita qu'il apparaisse au bout de l'allée, qu'il se baisse pour le relever et le prenne dans ses bras. Qu'il le réconforte, qu'il ressente cet amour fraternel irradier de Fabien, comme avant, quand lui aussi était un enfant.

Puis, lorsque Samuel se releva, tremblant, il vit que les silhouettes n'étaient plus là. La voiture, le réverbère, les vagues à présent calmes et discrètes, tout était en place. Rien d'autre ne semblait avoir existé. Sinon une sensation vacillante et éthérée. Comme ce malaise que l'on ressent à la suite d'un cauchemar, tandis que les monstres qui nous lacéraient les vêtements et nous griffaient la chair s'évaporent lentement de notre esprit, vaincus par la lumière du jour mais encore perceptibles.

Alors, comme un enfant se persuade que la violence d'un adulte est peut-être nécessaire...

Comme un enfant se persuade que les fantômes n'existent pas...

Comme un enfant se persuade que les murmures ne sont que les râles des vagues mourantes...

Samuel se persuada que cette scène n'avait jamais existé.

Il rentra chez lui d'un pas lent et amnésique.

Et souhaita devenir rapidement un adulte comme son frère.

Août 1986

— Tu me fais mal au bras, protesta Julie.

— Tais-toi, j'ai entendu un bruit.

Le Rouquin s'immobilisa. Puis, au bout de quelques minutes à scruter l'obscurité, il encouragea la jeune fille à continuer et à se diriger vers la voiture.

— Ils ont brûlé la maison, pleura-t-elle. C'est vrai, cette histoire de pendue ?

— Non, ce n'est pas vrai. Ce n'est que du folklore, mentit l'adulte.

— Et maintenant ?

— Je dois te tuer. Tu comprends ?

— Oui, répondit la fillette.

— As-tu peur ?

— Non. Est-ce que je vais devenir un fantôme ? demanda-t-elle, une soudaine étincelle de vie dans les yeux.

— Oui. Et tu murmureras à l'oreille des vivants pendant de longues années. Viens. Il est temps à présent.

3

Je restai abasourdi par ce que je venais de lire.

Samuel, lui, demeurait immobile et silencieux.

Je n'avais plus en face de moi l'éditeur fort en gueule et sûr de lui, capable de vendre les droits d'un livre plusieurs dizaines de milliers d'euros, mais un gamin de douze ans, honteux et coupable. Il avait été le dernier d'entre nous à voir Julie vivante. Je lui jalousai cette position. Je le détestai pour avoir fui au lieu de tenter de la sauver. Dans ma colère, je me persuadai que j'aurais agi différemment. Les possibilités étaient nombreuses : hurler, aller chercher de l'aide, se jeter sur le Rouquin pour lui faire lâcher prise... Mais non, Samuel s'était contenté d'observer et de taire sa lâcheté durant toutes ces années.

Je fis glisser les feuilles sur le plan de travail, afin d'éloigner le dégoût que m'inspirait son chapitre douze.

— Je suis désolé, murmura-t-il avant de froisser le papier entre ses mains.

Il l'était. Aucun doute là-dessus. Mais c'était trop tard.

— Pourquoi tu n'as rien dit ? articulai-je péniblement.

— J'étais un môme... j'avais peur. Tout un univers s'écroulait autour de moi. La maison de la pendue. Julie. Émilie. Mon frère. Tous mes repères s'effritaient comme des statues de sable battues par le vent. J'ai donc fait le muet. Jusqu'à maintenant.

— Mais tu es sans doute le dernier témoin à avoir vu Julie vivante…

— C'est vrai. Et mon douzième chapitre le confirme. Mais replonge-toi en arrière, David. Tout devenait incompréhensible. Lorsque mon frère est rentré ce soir-là, il a immédiatement fait nos valises. Il nous restait encore deux jours de location mais nous sommes partis dans la nuit, comme la plupart de ses collègues. Nous nous sommes éloignés de la tragédie, ou plutôt nous l'avons repoussée loin de nous. À ce moment je n'avais aucune idée de ce qui venait de réellement se passer. J'avais juste vu le Rouquin tenir Julie par le bras. Et puis cela ne prouvait rien. Les gendarmes ont arrêté le coupable le lendemain et ce n'était pas lui.

— Peut-être était-il son complice ! Si tu avais parlé, même une semaine plus tard…

— Merde, David, j'étais terrorisé ! As-tu oublié comme le Rouquin nous faisait trembler ? Je ne pouvais plus bouger, j'étais pétrifié et je n'avais que douze ans ! Douze ans ! Tu voulais quoi ? Que je me batte avec lui ? Alors oui, je me suis tu. Je suis devenu le muet. Et ne me blâme pas pour cela, David, surtout pas toi ! Tu sais mieux que quiconque que les enfants silencieux sont ceux qui ont le plus à raconter. Mais qu'ils ont peur. Comme tu avais peur de dire que ton beau-père vous frappait, toi et ta mère. Pas seulement parce que tu craignais sa sentence s'il l'apprenait, mais aussi parce que tu ne voulais pas passer pour un faible ! Alors tu m'en parlais seulement si je te posais des questions.

— Cela n'a rien à voir, me défendis-je.

— C'est exactement la même chose ! Nous avions peur. Nous étions des gamins. Le silence était notre seule porte de secours. Et ensuite, après l'été, il y a eu tout ce bordel avec l'usine. Nos familles se sont retrouvées sans emploi du jour au lendemain. La fermeture de l'usine Vermont fut le seul sujet de conversation pendant de longs mois. Tout le reste devint secondaire. Tout le reste fut oublié.

Il avait raison. Le lendemain matin, ma mère aussi avait préparé les valises. Vers 10 heures, quand j'avais entendu quelqu'un frapper à la porte, je m'étais précipité en espérant voir Julie et Samuel. Mais à leur place, j'avais découvert un gendarme en tenue qui avait demandé immédiatement si mes parents étaient là. Ma mère l'avait accueilli et ils s'étaient installés dans le salon tandis que je me retranchais dans ma chambre pour finir de rassembler mes affaires, le cœur déchiré de partir sans dire au revoir à Julie.

Six ans plus tard, alors qu'elle s'était séparée de mon beau-père et que nous avions déménagé dans une autre région, ma mère me raconta la vérité. Je n'étais plus un enfant, aussi jugea-t-elle qu'il était temps pour moi de savoir ce qui était arrivé à Julie.

— Tu te souviens de notre dernier été à Saint-Hilaire ? me demanda-t-elle en s'asseyant à table, face à moi, un café devant elle.

— Oui, affirmai-je, surpris d'aborder cette période qui me semblait appartenir à un autre siècle.

— Avec Samuel, vous aviez une copine…

— Julie, prononçai-je avec une rapidité qui m'étonna moi-même.

Et le souvenir du bracelet brésilien qu'elle m'avait offert refit surface. Il n'avait pas tenu longtemps, juste le temps que l'hiver arrive.

— Oui… Julie, répéta-elle, le menton tremblant.

— Et alors ? Pourquoi tu pleures ?

— Ce n'est rien, se reprit-elle en chassant une larme d'un revers de la main. Il lui est arrivé malheur… Je ne voulais pas t'en parler avant, tu étais trop petit…

— Qu'est-ce qui s'est passé ?

— Elle a été assassinée.

— Assassinée ?

— Oui. Maintenant que tu es en âge de comprendre, je peux te le dire. Ils ont immédiatement trouvé le coupable, il restera en prison pendant de longues années.

Je terminai mon petit déjeuner en tentant de me souvenir de Julie. J'y parvenais, mais avec plus de peine que je l'aurais cru. Car le visage d'une autre fille, une élève du lycée dont j'étais follement amoureux, parasitait les souvenirs de cet été 1986 : Stéphanie Boussère, celle avec qui je partagerais beaucoup de mes « premières fois » et qui était ma petite copine officielle depuis à présent sept mois.

J'avais honte de ne pas ressentir plus de peine que cela. Le visage de Julie m'apparaissait de manière abstraite. Son souvenir, sa voix, ses cheveux blonds avaient perdu de leur substance, emportés par le temps et les émotions nouvelles qui agitaient mon corps et mon âme d'adolescent. J'arrivais à visualiser certains passages de cette époque (notre première rencontre, ce moment où elle se dressa devant nous et étala sa serviette, notre virée au Bois Tordu…) mais les autres détails s'étaient estompés naturellement jusqu'à ne devenir que de simples souvenirs incertains. Lorsque j'avais pris conscience de cette amnésie (peut-être deux ou trois ans après cet été-là), j'avais tenté de rattraper ces images en revivant mentalement les différents évènements de ces jours passés aux côtés de Julie. Je me concentrais, allongé sur mon lit, dans ma chambre d'enfant, et murmurais son prénom autant de fois que nécessaire. Au début, il me suffisait de l'invoquer seulement une ou deux fois, pour que son visage apparaisse et qu'elle prononce son fameux « ce n'est vraiment pas sympa » avant de me sourire. Alors je pouvais m'endormir. Mais au fil des mois, puis des années, les souvenirs avaient mis plus de temps à se frayer un chemin vers la lumière. Jusqu'au jour où le prénom Julie n'attira qu'une ombre à peine reconnaissable.

— Tout cela est stupide ! Pourquoi nous faire revivre cet épisode de notre enfance ? Quel intérêt ?

— La culpabilité, David ! Voilà ce qui transpire de mon chapitre douze, la culpabilité ! Celui qui a envoyé ce texte voulait que je me sente coupable de la mort de Julie. Cela fait presque trente ans que je la ressens, cette culpabilité, je n'ai pas besoin qu'un connard me l'écrive noir sur blanc ! Et pour toi, bah… je ne sais pas, il a sans doute trouvé que tes bouquins manquaient de poésie…

Ce trait d'esprit détendit légèrement l'atmosphère. Je fis un aller-retour dans le salon pour y prendre mon paquet de cigarettes. Le soleil malmenait la baie vitrée tandis que la mer s'échouait sur la plage par petites vagues. À croire qu'elle avait laissé toutes ses forces dans la tempête d'hier au soir. En tournant le dos à l'océan pour revenir dans la cuisine, j'eus une nouvelle fois l'impression qu'on m'observait. Je fis volte-face mais en dessous de moi s'étendaient le sable et la mer, rien de plus. Ni personne. Je scrutai un long moment la nature, pensant surprendre un photographe de la presse people en manque de sujets. (« Le grand écrivain au bord de la dépression après sa séparation », serait alors la légende de la photo.) Mais bien sûr, il n'en fut rien.

Lorsque je revins auprès de Samuel, celui-ci avait ravivé son cigare et enfumait la pièce d'odeurs âcres et animales. Ses épaules s'étaient redressées. Son regard ne craignait plus de m'affronter. *L'homme d'affaires vient de chasser le gosse à coups de pied dans le cul*, me dis-je en le voyant déchirer les feuilles de papier en plusieurs morceaux, avant de les faire disparaître dans la poubelle Wesco.

— Je retourne à Paris, j'ai du travail, indiqua-t-il.

— Quand ?

— En fin d'après-midi.

— Mais… tu ne veux pas en savoir plus… je veux dire…

— David, j'en sais assez. Je ne veux plus rien savoir ! C'est du passé ! Émilie et Julie sont mortes, le coupable a été arrêté, fin de l'histoire ! J'ai compris le message que cet enculé a voulu me faire passer : COU-PA-BLE. OK, s'il veut. Plus rien à foutre maintenant. Et pour la énième fois, je te conseille de tout balancer et de revenir dans le présent. Tu m'excuseras, mais j'ai à faire. Tu n'es pas le seul écrivain dont je m'occupe, et les autres au moins ne me parlent pas de pendue, de fillettes assassinées et de maison brûlée.

— Qui es-tu allé voir ? Au téléphone, tu m'as dit avoir rendu visite à un… fantôme.

— Ah oui ?

— Ne joue pas au con. Quelqu'un en rapport avec ton douzième chapitre.

— Et toi, tu ne devais pas m'attendre pour le lire, ton douzième chapitre ?

— Où étais-tu hier ? insistai-je, ignorant son sarcasme.

— Rhaaa… Fais chier, lâcha-t-il en levant les bras au ciel.

— Tu m'as dit que tu m'en parlerais, enchaînai-je en m'approchant de lui, décidé à ne pas le laisser s'en tirer ainsi.

— Oublie tout ça, David. Bon sang !

— Non, il est trop tard pour tout oublier. Alors, qui est ce fantôme ?

— Bordel… Bon, d'accord, et après cela tu fais ce que tu veux mais on ne parle plus de cette histoire ! OK ?

— OK.

— Je suis allé le voir, souffla-t-il.

— Qui ça ?

— Le Rouquin. J'ai voulu l'affronter. Faire ce que je n'avais pas été capable de faire cette fameuse nuit : obtenir des réponses.

— Il habite toujours en face de…

— Mamie Côte d'Or ? Oui.

— Et alors ?

— Et alors, il a disparu. Il est devenu un fantôme, lui aussi. C'est pour cela que l'on doit laisser tomber, David. Tout le monde autour de cette histoire devient un fantôme.

4

Samuel me raconta son aller-retour dans notre ancien village.

Il m'expliqua s'être garé devant la maison du Rouquin, cette maison que, enfants, nous observions de l'autre côté de la rue Camille-Desmoulins, depuis la cour de mamie Côte d'Or qui était à l'époque notre nourrice du mercredi après-midi et des sorties d'école. La grand-mère paternelle de Samuel vivait seule depuis la mort de son mari (dont le foie n'avait pas supporté les excès réguliers de poire à l'appellation pourtant rassurante, « faite maison », et dont les odeurs de distillation provenant du garage suffisaient à enivrer quiconque approchait). Le surnom dont nous l'avions affublée ne provenait pas d'une passion déraisonnée pour les vins de Bourgogne (d'ailleurs, elle ne buvait pas une seule goutte d'alcool, sans aucun doute pour contrarier le fantôme de son mari alcoolique) mais d'un autre produit tout aussi précieux à ses yeux : le chocolat amer de la marque du même nom.

— Rien n'a changé, m'informa Samuel. La maison du Rouquin est toujours aussi insignifiante. Quatre murs recouverts de crépi émietté. Un toit en pente légère. Des volets métalliques verts souvent fermés, même en plein jour. Comme dans notre enfance. J'ai donc pris mon courage à deux mains et j'ai frappé à la porte. Je me sentais nerveux et stupide car je ressentais encore, après toutes ces années, une certaine appréhension à me retrouver face à lui. Mais j'étais déterminé. Déterminé à obtenir des réponses à mes questions : que faisait-il avec Julie ce soir-là ? Pourquoi la tirait-il par le bras ? Avait-il participé à l'assassinat de Julie ? Et Émilie ? La connaissait-il également ? J'ai attendu une bonne minute avant de recommencer à frapper. Derrière la maison, bloquant l'horizon, je pouvais voir les ruines de l'usine. Elle est toujours debout, tu sais. Sa grande cheminée, les hangars, le bâtiment principal… Comme avant. Bref, personne n'a répondu. J'ai fait le tour de la bâtisse et j'ai inspecté l'intérieur à travers une fenêtre poussiéreuse. Je n'ai perçu aucune trace de vie. J'ai donc traversé la route pour saluer mamie Côte d'Or. Je me suis dit que cela lui ferait plaisir, je ne lui avais pas rendu visite depuis la mort de Fabien, il y a six ans.

« Après avoir passé plus d'une heure à discuter de tout et de rien, je lui ai finalement demandé si le Rouquin habitait toujours en face.

« — Pourquoi tu me poses cette question ? Encore du café ?

« — Non merci. Il n'y a personne chez lui. La boîte aux lettres déborde.

« — Je sais. Le facteur aussi ça l'inquiète. C'est un jeune. Avec un anneau dans le nez. Comme les vaches avant.

« — Tu l'as vu, récemment ?

« — Le Rouquin ? La dernière fois, c'était il y a six mois, un soir de février. Le 10 exactement.

« — Pourquoi te souviens-tu de la date exacte ?

« — J'ai beau avoir quatre-vingt-dix ans, j'entends, je vois et ma mémoire n'est peut-être plus ce qu'elle était mais elle fonctionne encore. Surtout pour les jours importants.

« — Et le 10 février est un jour important, mamie ?

« — Bon sang... C'est le jour d'anniversaire de ton grand-père ! Le chocolat, c'est bon pour la mémoire, j'aurais dû t'en faire bouffer plus, à toi et à l'autre ! Et d'ailleurs qu'est-ce qu'il devient le David ?

« — Toujours pareil, écrivain.

« — Mouais... Je m'en doutais, que c'était un fainéant... Il n'aurait pas tenu une seule journée à l'usine celui-là... Pas comme ton frère et ton père...

« — Oui mamie. Donc ce 10 février...

« — Il faisait nuit, je venais juste de terminer mon souper quand j'ai entendu une voiture se garer dans la rue. J'ai tourné la tête vers la fenêtre et j'ai aperçu la silhouette d'un homme sortir du véhicule. Je l'ai reconnu immédiatement. D'abord parce que je l'avais déjà rencontré une fois, lors de la fête de Noël organisée par l'usine. Tu ne t'en souviens pas, tu étais encore un môme. Ensuite parce que, comme chaque année, l'ensemble du personnel, dont ton père et ton frère, posait avec le patron sur la photo souvenir.

« — De qui parles-tu, mamie ?

« — Du patron. De Paul Vermont.

« — Tu en es certaine ?

« — Oui, si je te le dis. Sa démarche toujours élégante – quoique moins assurée –, ses cheveux cendrés... Pour sûr, c'était bien lui.

« — Mais il faisait nuit...

« — Le Rouquin a fait installer une lumière qui s'allume automatiquement la nuit quand une personne passe le portail. Et c'est ce qui s'est produit ce soir-là. Elle l'a éclairé suffisamment pour que je le reconnaisse.

« — Que s'est-il passé ?

« — Ils sont entrés tous les deux dans la maison. Moi, j'ai fait ma vaisselle tranquillement, un peu surprise que M. Vermont apparaisse dans le coin, lui qui avait quitté la région après tous ces évènements, tu sais bien, la gamine et tout ça.

— Oui mamie, je sais.

— Ensuite, il est ressorti de chez le Rouquin, ils se sont salués, et le patron est remonté dans sa voiture. Fin de l'histoire.

— Et depuis, tu n'as plus revu le voisin ?

— Non, jamais. J'en ai discuté avec le facteur et la bouchère. Eux non plus ne l'ont pas revu. Paraît qu'il est mort. C'est ce qu'on dit au village. P't'ête qu'il entendait des voix, lui aussi, comme la Vermont. »

— Voilà, tu sais tout maintenant ! conclut Samuel en se dirigeant vers la porte.

— Tu en penses quoi ? demandai-je, encore en partie plongé dans son récit.

— Je n'en sais rien, David. Peut-être qu'il est mort, peut-être qu'il a déménagé. Aucune idée. J'ai fait ce que j'avais à faire : j'ai tenté de rattraper mon erreur, j'ai essayé d'échanger mon mutisme de l'époque contre une conversation avec lui. Mais je n'ai pas pu. Au moins j'ai essayé…

— Tu repars vraiment à Paris ?

— Oui. Tu sais, moi, le bruit des vagues, l'odeur du sel… il me faut ma dose de pollution ! Une dernière chose : toujours selon mamie Côte d'Or, le patron aurait déménagé. J'ignore si c'est une bonne chose de te le dire, mais il n'est pas loin.

— Où ça ?

— À Saint-Hilaire. Là où les pirates pleurent sa femme.

5

Je laissai mon meilleur ami partir à regret, déçu qu'il ne reste pas quelques jours de plus pour tenter de démêler le mystère. Mais je ne lui en voulais pas. J'avais compris que, depuis cette tragédie, Samuel avait vécu avec un lourd secret. Un secret condamnable pour un adulte (car oui, peut-être que s'il avait prévenu immédiatement son frère ou quelqu'un d'autre, Julie serait en vie) mais un secret compréhensible pour un enfant (la peur, ce monstre polymorphe qui se change aussi bien en beau-père violent qu'en rouquin effrayant, nous surprenant au coin d'une ruelle, dans notre chambre à coucher ou simplement par un bruit provenant de derrière notre dos).

Je restai un long moment à réfléchir à tout ce que je venais d'apprendre. Je n'étais pas plus avancé qu'hier, mais au moins je connaissais le contenu du douzième chapitre consacré à Samuel.

Le muet et son silence libérés par le souvenir et les mots.

Je décidai de m'attaquer à ce que j'avais été incapable de faire la veille, trop ivre et malheureux pour cela. Je rallumai une cigarette, allai chercher mon chapitre douze (tout froissé, à même le sol de l'immense salon) ainsi que mon MacBook. Je tapai les premières lignes du poème et découvris des dizaines d'entrées proposées par Google. J'en choisis une au hasard et lus le descriptif :

« Mais elle était du monde, où les plus belles choses
Ont le pire destin ;
Et rose elle a vécu ce que vivent les roses,
L'espace d'un matin. »

Vers écrits par François de Malherbe, poète français né à Caen en 1555 et mort en 1628. La Consolation à M. Du Périer *est un poème publié pour la première fois en 1607. Il s'agit d'une réécriture du poème* La Consolation à Cléophon, *qu'il avait écrit en 1592, à l'occasion de la mort de Rosette, la fille de Cléophon, son ami normand. À la mort de la petite Marguerite Du Périer en 1598, Malherbe a repris ce poème pour exprimer au père de la jeune fille, M. Du Périer, toute sa tristesse et sa compassion.*

Je restai longtemps à réfléchir à ce poème. Je fouillai les sites dédiés à la poésie, à Malherbe, à Cléophon, à Du Périer… les maudissant tour à tour de ne pas m'apporter une réponse claire et évidente à la présence de ces vers dans mon douzième chapitre.

L'après-midi fila sans que je parvienne à éclairer le mystère. Ma frustration était à son paroxysme car, tout comme cela avait été le cas avec Samuel, j'étais persuadé que ce chapitre du récit lèverait le voile sur la raison d'exister de ces mystérieuses pages. Alors que je me trouvais appuyé sur la rambarde de la terrasse (je remarquai d'ailleurs, qu'en dessous de moi, des mouettes becquetaient ce qui restait de mon vomi de la veille), les paroles de Samuel concernant le déménagement de l'ancien patron de l'usine refirent surface : « À Saint-Hilaire. Là où les pirates pleurent sa femme. »

Je me récitai mentalement le poème (à force de lire ces quatre vers, je les connaissais par cœur) et répétai les quelques lignes d'explication de texte qui, elles aussi, s'étaient gravées dans ma mémoire : « Malherbe a repris ce poème pour exprimer au père de la jeune fille, M. Du Périer, toute sa tristesse et sa compassion. »

Le lien me sembla soudain évident.
Il ne pouvait s'agir d'un hasard.
Le père de Julie.
Saint-Hilaire.

Car laissez-moi vous expliquer comment les parents disparus se servent de l'arc-en-ciel pour revenir dans le monde des vivants.

6

« Tes parents, ils font quoi ?
— Ils sont morts. »

Nous y avons cru, Samuel et moi.

Nous y avons cru car nous n'avions aucune raison d'en douter.

Quand Julie nous apprit que ses deux parents étaient décédés dans un accident de voiture, pas un de nous ne remit ses paroles en question. Ce n'est que des années plus tard, alors que ma mère venait de m'apprendre que Julie avait été assassinée et que je réussissais difficilement à me souvenir de son visage, que je pris conscience de son mensonge.

— Ce n'est pas tout, m'avertit ma mère tandis que je l'aidais à débarrasser la table du petit déjeuner.

— Maman, je n'ai plus envie que l'on parle de tout cela. C'était juste une copine, je ne la connaissais pas vraiment, prétextai-je, souhaitant fuir le fantôme de Julie pour me blottir dans les bras de Stéphanie que je devais retrouver en bas de l'immeuble, une demi-heure plus tard.

— Attends… je dois te dire la vérité. Juste un instant, je vais chercher quelque chose…

Ma mère partit dans sa chambre (j'entendis la porte de son armoire grincer) et revint quelques minutes après, un journal à la main.

— Je l'ai gardé, je ne sais pas trop pourquoi. Mais tiens, lis-le. Et ensuite, promis, je ne te parlerai plus de Julie, me dit-elle en me tendant le journal, les yeux toujours embués.

— C'est inutile de te mettre dans cet état… vraiment.

— Je sais, je sais mais… Bon, il faut que je file travailler. N'oublie pas la vaisselle, lança-t-elle sans trop y croire avant de me déposer un baiser sur le front. Et fais la bise à Stéphanie pour moi.

Je pris donc le journal et m'installai à la table de la cuisine. J'ignorais pourquoi ma mère l'avait gardé depuis toutes ces années. Tout comme j'ignorais pourquoi Julie était devenue un sujet sensible pour elle. Je ne comprenais pas ses larmes et sa tristesse apparente. Son regard fuyant également, qui semblait m'éviter. Je reconnus immédiatement la photo qui se trouvait en une : l'ancienne usine Vermont. Puis, le titre de l'article attira mon attention :

« Jour de deuil pour l'usine Vermont Sidérurgie. »

Je lus alors les phrases suivantes, tandis qu'une colère sombre grandissait en moi :

« Aujourd'hui, c'est bien plus qu'un homme qui est touché par la tristesse du deuil, mais une usine entière, un village au complet. Cet après-midi sera inhumée la fille du directeur de l'usine Vermont Sidérurgie, Julie Vermont. La jeune fille a été retrouvée vendredi dernier, abandonnée sur la plage de Saint-Hilaire-de-Riez, lieu de villégiature des employés de l'usine. Neuf ans plus tôt, un autre drame avait frappé cette

même famille, avec le suicide de la femme de celui que tout le monde appelle ici, de manière amicale et respectueuse, « le patron ». Si les gendarmes de Saint-Hilaire peuvent se féliciter d'avoir rapidement appréhendé un suspect, rien ne pourra dorénavant consoler celui qui, comme son père avant lui, est un homme apprécié par tous. Le journal présente à M. Vermont ses plus sincères condoléances. La cérémonie débutera dans notre église à 10 heures précises. »

Je n'en revenais pas.

Julie était la fille de M. Vermont.

Lorsque ma mère rentra du travail le soir, je la harcelai de questions.

— Pourquoi personne ne savait qu'il avait une fille ?

— Certains le savaient. Mais on ne la voyait jamais, admit-elle. M. Vermont habitait en dehors du village. Il était très rare de le croiser ailleurs qu'à l'usine.

— Mais quand même, elle allait bien à l'école quelque part ?

— À la mort de sa femme, le patron était trop abattu pour s'occuper de Julie. Elle n'avait que trois ans. M. Vermont s'est retranché dans son travail, il était sur place sept jours sur sept, une sorte de thérapie. Il a préféré laisser sa fille à la sœur de feu Mme Vermont, une femme qui habitait Bordeaux et qui avait les moyens et le temps de s'en occuper convenablement. Il lui rendait visite régulièrement. Les mois suivant le suicide, lorsque nous le croisions dans l'usine, nous lui demandions des nouvelles de sa fille. Mais ses réponses étaient tellement imprégnées de tristesse que plus personne n'osa prononcer le nom de Julie. Le temps passa. Nous ignorions ce qu'il advenait de la jeune fille, mais par respect, nous nous sommes tus… et nous avons oublié à la longue.

— Tu savais que c'était elle, je veux dire en 1986 ?

— Non, j'ignorais que Julie se trouvait aux Mouettes, assura ma mère en détournant le regard.

J'en voulus énormément à Julie.

Pourquoi nous avoir menti de la sorte ? Nous étions ses amis. Elle aurait pu nous raconter la vérité sans que cela change quoi que ce soit à notre amitié. Je pensais que nous étions liés, pas seulement par un bracelet brésilien, mais par un sentiment beaucoup plus intense, un sentiment qui avait réchauffé nos cœurs alors que nous nous trouvions face à face sur la plage et que nos corps maladroits tanguaient entre la peur et le désir.

Ce mensonge, cette tromperie incompréhensible fut le point de non-retour. Durant les semaines qui passèrent, je m'évertuai à effacer complètement de ma mémoire ce dernier été passé à Saint-Hilaire. Je jetai à la mer les sensations et les sentiments, les sourires et les joies, et observai les guirlandes lumineuses du Bois Tordu sombrer dans l'océan profond et glacial de ma rancœur.

J'avais dix-huit ans.

Un âge égoïste.

Un âge où l'on fuit les murmures de l'enfance.

Où l'on devient sourd.

Jusqu'à ce que les murmures des souvenirs évanouis reviennent nous hanter, des années plus tard.

7

Il regarda la Mercedes quitter la propriété. Elle était arrivée plus tôt dans la journée. Un homme corpulent en était sorti, suivi par une volute épaisse émanant du barreau de chaise qu'il tenait entre ses lèvres.

Les jumelles qu'il utilisait pour sa surveillance n'étaient pas d'assez bonne qualité pour lui permettre de zoomer sur le visage du visiteur. Il le vit disparaître à l'intérieur de la maison sans avoir pu distinguer ses traits.

Quand la Mercedes passa à sa hauteur sans que le conducteur porte la moindre attention à sa présence (sa voiture était habilement garée derrière une rangée de pins maritimes), l'homme dirigea son attention vers le portail. Sans surprise, les grilles électriques s'ébrouèrent mais ne se refermèrent pas. Leurs bras métalliques hoquetèrent sans parvenir à se déplier complètement, comme retenus par des fils invisibles.

Cela pourrait s'avérer utile, avait-il pensé le premier jour, quand il avait surpris le dysfonctionnement. Et depuis, à chaque fois qu'il se garait en face de la propriété, il s'étonnait de ne pas voir une société de réparation intervenir sur le problème.

Il remit le moteur de la voiture de location en marche et pour la dernière fois de la journée, roula lentement jusqu'à l'entrée.

Déjà une semaine qu'il surveillait cette maison. Depuis que l'enveloppe avait été déposée. Une femme en était sortie en début de semaine, avec une valise à la main. Mais depuis ce jour, aucune visite, à part cette Mercedes apparue un peu plus tôt dans la journée. Ce qui l'intriguait. Soit la personne qui vivait dans cette maison était un ermite, soit elle n'avait tout simplement pas d'ami ou de famille. *Dans ce cas, à quoi bon réparer un portail si, même ouvert à tous les vents, personne ne le passe...*

Construite à flanc de plage, la villa aurait dû être totalement invisible aux regards extérieurs. Seulement, les larges grilles pourvues de tôles « brise-vue » qui clôturaient l'entrée principale de la propriété refusaient de se refermer. Lui permettant ainsi de pouvoir espionner les allées et venues, soigneusement caché à l'abri des arbres.

La veille, au hasard des boutiques du centre-ville de Saint-Jean-de-Monts, il avait appris qui en était le propriétaire. Il avait simplement poussé la porte de l'agence immobilière la plus proche et feint un intérêt pour ce style de propriété. Une jeune femme élégante lui avait répondu qu'elle ne pouvait donner l'identité de son client car celui-ci était connu et souhaitait par-dessus tout préserver son « intimité créatrice » (il perçut comme un reproche personnel lorsqu'elle évoqua cette prostration, peut-être couchait-elle avec lui). Mais quelques mètres plus loin, dans la même rue, une boulangère beaucoup moins frileuse lui fournit de plus amples renseignements :

— On ne le voit pas souvent, soupira la responsable de la boutique. Il se cache. Les artistes, vous savez…

— Un artiste ?

— Oui, un écrivain ! Des « thrillers », comme ils disent pour se donner un genre. Pff… On se demande qui peut lire des histoires de meurtres alors que parfois la réalité suffit ! Regardez, il y a trente ans, à quelques kilomètres… Deux gamines ! Et je parie que personne n'écrira jamais une ligne là-dessus ! Pas assez « thriller » sans doute !

L'inconnu sentit son visage rougir. L'envie soudaine de gifler cette boulangère lui traversa l'esprit. L'entendre évoquer la mort de Julie et d'Émilie le dégoûtait. Il ne souhaitait qu'une chose : un nom.

— Et savez-vous comment s'appelle cet écrivain ?

— Vous ne seriez pas journaliste, vous ? Du genre qui recherche une star que personne n'arrive à retrouver ?

— Non madame, je souhaite simplement obtenir des renseignements sur l'année de construction de cette maison. Je suis architecte et véritablement impressionné par cette création, mentit-il.

— David. David Malet. Ça vous dit quelque chose ?

Il n'en revenait pas. Après toutes ces années.

Lorsqu'il avait aperçu la silhouette qu'il surveillait depuis plusieurs jours déposer sur le perron de cette propriété une enveloppe marron, il n'aurait jamais pensé que le passé le rattraperait de la sorte.

Bien sûr qu'il le connaissait.

Depuis qu'il était gosse.

David.

Son meilleur copain aussi, le frère de Fabien : Samuel.

Les deux derniers amis de Julie.

C'était donc cela.

Tout prenait sens.

— Non, cela ne me dit rien, feignit-il, avant de sortir de la boulangerie pour s'appuyer contre un muret, le souffle court.

Des images refirent surface. Des images qui le visitaient la plupart du temps durant la nuit. Mais parfois aussi en plein jour. Comme pour lui donner un avertissement. Comme pour lui dire : nous ne sommes pas qu'un simple rêve. Nous sommes aussi réelles et effrayantes qu'un corps pendu au bout d'une corde.

Alors qu'il effectuait un deuxième passage devant les grilles ouvertes, l'homme remarqua le 4×4 noir qui venait de sortir d'un des garages de la propriété.

Une vague de paroles feutrées jaillit immédiatement de sa mémoire.

Des paroles murmurées par une jeune fille blonde.

« Ne me tuez pas. Je veux revoir mes parents. »

Puis par une autre.

« Est-ce que je vais devenir un fantôme ? »

Et par un jeune garçon.

« Tu peux me donner la main pour traverser la route ? »

Non, Jérôme, je ne peux plus te la donner.

Il est trop tard.

Tu es un fantôme à présent…

8

Cela me sembla évident.

La présence du père de Julie dans la région et l'allusion contenue dans le poème ne pouvaient être une simple coïncidence. Je me persuadai alors que la clef de l'énigme me serait donnée par cet homme. D'ailleurs, qui d'autre que lui aurait pu écrire ces lignes ? Qui d'autre aurait intérêt à dénoncer les évènements ayant entraîné la mort de Julie ? Qui d'autre souhaiterait que l'on se souvienne ?

Je lançai une nouvelle recherche Google en entrant « Paul Vermont » suivi de « Saint-Hilaire-de-Riez ». Aucun résultat probant ne s'afficha. J'élargis mes recherches aux communes alentour mais ne fus pas plus avancé.

Aucun Paul Vermont nulle part.

Une impasse.

Soudain, la solution se présenta d'elle-même, par un prénom que je n'avais depuis quelques jours que trop ignoré : Sarah.

L'agence dans laquelle elle travaillait gérait la majeure partie des transactions de Saint-Hilaire. Si l'ancien patron de l'usine possédait une maison dans le coin, il y avait de grandes chances pour que Sarah ou l'un de ses collègues puisse me renseigner.

Je décidai donc de quitter ma tanière pour me rendre directement dans le centre de Saint-Jean-de-Monts. Après avoir vérifié mon aspect dans le miroir démesuré de la salle de bains (des cernes bien marqués mais rien qu'une mauvaise nuit ne pourrait expliquer), j'attrapai les clefs du 4×4 BMW et sortis pour la première fois depuis des semaines. Le soleil accueillit ma désertion avec un large sourire aveuglant qui me fit plisser les yeux et regretter un peu plus ma cuite de la veille.

Je pris la D123 pendant quelques kilomètres puis, une fois en ville, longeai l'esplanade de la Mer. Au loin, sur ma gauche, par-delà la plage et les vagues, se profilait la silhouette rocheuse de l'île d'Yeu. Je vivais dans la région depuis plus de douze ans et je n'avais encore jamais pris le temps de visiter l'île. Je me promis d'y emmener Sarah une fois toute cette histoire terminée. Sans doute y aurait-il des galeries d'art local où acheter d'autres œuvres énigmatiques et hors de prix…

Après avoir tourné en rond pendant plusieurs minutes, un touriste se décida enfin à libérer une place de parking. Je m'y engouffrai et sortis de la voiture, affublé d'une casquette et de lunettes de soleil qui, je l'espérais, me rendraient invisible au reste de la population. En remontant l'avenue de la Forêt, je m'arrêtai chez un fleuriste et demandai un bouquet de roses que la vendeuse me prépara en m'observant du coin de l'œil. Mes artefacts d'invisibilité semblèrent fonctionner puisque la commerçante me tendit le bouquet et ma monnaie sans rien prononcer de plus que les classiques formules de politesse.

Je parcourus les quelques mètres restants sans lever les yeux du trottoir puis pénétrai dans l'agence de Sarah. À peine les portes poussées, un homme en costume et à l'allure travaillée m'accueillit d'un « bonjour ! » chantant. Son sourire carnivore et son regard pétillant m'indiquèrent que le jeune homme me prenait pour un client. Je ne l'avais jamais vu (la seule fois de l'année où je rencontrais les collègues de Sarah se produisait lors de la soirée de Noël d'où je repartais généralement ivre, ce qui n'était pas le meilleur moyen pour se souvenir des nouveaux visages…) et lui répondis par un « bonjour » négligemment articulé.

— Bienvenue dans notre agence ! Puis-je vous aider ? enchaîna-t-il en se levant de derrière son bureau.

— Certainement, affirmai-je en souriant à mon tour. Je viens voir Sarah.

Le costume-cravate marqua un temps d'arrêt, le temps nécessaire pour me jauger. Apparemment, je devais être dans un sale état puisque presque aussitôt il demanda, avec un air sévère :

— Sarah ? Et vous êtes ?

— Son mari, me fis-je un plaisir de répondre, en retirant ma casquette.

Immédiatement, son visage vira du bronzé artificiel au rouge honteux. Son attitude de mâle protecteur disparut et l'homme bredouilla de plates et ridicules excuses en me tendant une main que je m'empressai de serrer pour le rassurer :

— Oh ! Désolé, nous… nous n'avions pas encore eu l'occasion de nous rencontrer ! Jean, je… je suis nouveau dans l'agence, enchanté ! J'adore ce que vous faites !

— Merci, c'est gentil, l'encourageai-je en me dirigeant vers le bureau de Sarah où une photo de nous deux trônait à côté de l'écran d'ordinateur.

Jean me proposa un café (que je refusai poliment) et sembla attendre de moi des paroles ou des actes qui auraient justifié le fait qu'il restât planté devant moi à me regarder, en essayant sans aucun doute de percer le secret de mon imagination.

— Les affaires se portent bien ? demandai-je pour occuper le silence et vérifier que Jean ne s'était pas soudainement endormi debout, les yeux ouverts.

— Oui… les affaires… c'est l'été… les gens n'achètent pas l'été, ils achètent *pour* l'été. Quelques visites mais pour nous ça reste la saison creuse…

— Sarah ?

— Euh… oui ! Excusez-moi, je n'ai pas l'habitude de parler à quelqu'un de connu, alors je suis un peu… Elle est derrière, je vais la chercher !

Jean venait de résumer malgré lui la raison principale qui faisait que je n'aimais guère sortir de chez moi : quand les gens me reconnaissaient, et cela se produisait assez souvent, une espèce de gêne s'installait dans le regard de mon interlocuteur qui, tout à coup, se mettait à bégayer, à chercher ses mots ou à occuper ses mains de manière stupide. Et le plus souvent, ce qui était assez injuste puisque je devenais à ce moment également victime de cette situation étrange, je devais être celui qui ramenait la normalité dans l'échange. Parfois en signant le livre qu'on me tendait en tremblant, d'autres fois en souriant et en acceptant de poser pour le selfie que plus tard, une fois ses moyens retrouvés, l'inconnu montrerait à ses amis en se vantant d'avoir discuté avec moi comme si nous étions deux anciens potes de lycée. Je rêvais alors d'un monde sans célébrité. D'un monde où je n'aurais écrit aucun livre. D'un monde détruit depuis des années.

Il disparut à l'arrière de la boutique et héla ma femme d'un ton que je jugeai beaucoup trop familier, faisant naître en moi une pointe de jalousie. Quelques secondes plus tard, Sarah apparut et son sourire me fit oublier très rapidement cette stupide contrariété.

— Elles sont magnifiques ! s'exclama-t-elle en découvrant le bouquet de roses. Tu as osé mettre un pied dans une boutique sans moi !

— Sarah, je suis désolé pour tout ce qui se passe en ce moment, m'excusai-je, un peu trop théâtral, en suivant du regard son collègue qui se réfugiait derrière son écran.

Elle portait un tailleur bleu clair, beaucoup trop cintré à mon goût, et l'odeur douce et familière de son parfum emplit ma conscience de remords. Comment pouvais-je délaisser une femme pareille ? Comme principale explication, le cadavre de Julie fit son apparition dans un coin de mon esprit. Une vision furtive… un tressaillement neuronal fugace… mais un frisson long et électrique. Puis, l'image disparut, comme emportée doucement par la marée.

— Tu vas bien ? Tu as l'air crevé ? me dit-elle après que j'eus retiré mes lunettes.

— Oui, ça va, éludai-je d'un haussement d'épaules. Et toi ?

— Ce n'est pas toujours facile de partager la vie de quelqu'un qui vit déjà avec des dizaines de personnages. Parfois on a l'impression de compter moins qu'eux. Mais bon, je le savais depuis le début.

— Je sais. Je… Encore une fois, je suis désolé, je vais changer, je te le promets. Je t'écouterai, on sortira plus souvent… Dès que cette histoire est terminée je t'emmène sur l'île d'Yeu !

— Comment ça dès que cette histoire est terminée ? releva ma femme avec un froncement de sourcil.

Le cadavre refit son apparition. Les cheveux blonds se déployaient sur la surface de l'eau, tels les tentacules repoussants d'une méduse.

— Ne me dis pas que tu as encore le nez dans ces pages ? Je t'avais dit d'en terminer avec ces conneries…

— J'ai presque percé le mystère… Donne-moi quelques jours, je sais que c'est beaucoup te demander mais j'ai encore besoin d'un peu de temps…

— Merde, ça tourne à l'obsession ! lâcha-t-elle en se laissant tomber lourdement contre le dossier de sa chaise.

— J'y suis presque, Sarah ! la suppliai-je comme un enfant. Le poème, Émilie, Julie, le sourd, le muet et l'aveugle…

— David, je commence sérieusement à m'inquiéter ! De quoi parles-tu ? Le sourd ?

— Oui, je suis le sourd et Samuel le muet. Il ne reste plus que l'aveugle. Et son douzième chapitre nous aidera à trouver la solution.

— Mon Dieu, David, je croyais que tu venais t'excuser… Tu t'entends ? On dirait un… un fou !

Je jetai un rapide regard en direction de Jean. Je n'aurais été guère surpris de le surprendre en train d'acquiescer du menton à la dernière phrase de Sarah. Mais je ne vis que ses épaules voûtées retranchées derrière l'écran. Je pris malgré tout conscience que nous parlions trop fort, aussi baissai-je la voix et me penchai un peu plus vers ma femme.

— Quelques jours… Promis… Je t'aime… Fais-moi confiance… c'est juste une histoire de quelques jours…

— Bon sang ! Quelle idée d'avoir épousé un écrivain ! Je reviens à la maison dans trois jours, imposa-t-elle. Si tout n'est pas clair dans ta tête à ce moment-là, nous aurons une sérieuse discussion.

— Trois jours… Super… Génial…, balbutiai-je, conscient que ce délai était en réalité bien plus court que celui que j'avais prévu.

— David, tu as bu ? Tu as vu tes yeux ?

— Non… enfin… oui, cette nuit… mais ça va mieux, à part cette migraine. Chérie, j'aurais besoin d'un service.

— Un service ? Tu es venu ici pour t'excuser, pour demander un délai ou pour un service ?

— C'est important… et même crucial.

— Qu'est-ce que tu veux ?

— Pourrais-tu regarder dans ton fichier clients si un certain Paul Vermont a acheté une maison dans le coin ?

— Paul Vermont ?

— Oui, c'est ça.

— David ?

— Oui chérie, minaudai-je.

— Que se passe-t-il ?

— Rien de grave, ne te… Pourquoi tu me poses cette question ?

— Parce que tu débarques ici, avec un bouquet de roses, que tu tiens des propos incompréhensibles, que tu t'es, semble-t-il, saoulé toute la nuit et qu'hier, presque à la même heure, un homme d'une soixantaine d'années est venu lui aussi me poser des questions sur Paul Vermont… et sur toi.

J'eus soudainement la vision très nette d'une maison en flammes. Des feux follets dansaient autour, comme pour encourager les flammes à monter encore plus haut, tandis que la foule s'avançait dangereusement en poussant des exclamations admiratives.

— Un… un homme ? Comment ça ? Qu'est-ce qu'il a demandé au juste ?

— Il voulait savoir à qui appartenait la maison ?

— La maison ?

— Notre maison.

— Il a vu notre maison ?

— David, avec ce portail qui ne ferme plus, il suffit de pencher la tête de la rue pour l'apercevoir.

— Pourquoi il voulait savoir cela ?

— Il était architecte. Enfin, c'est ce qu'il m'a dit.

— Tu ne l'as pas cru ?

— Disons qu'il m'a semblé un peu… rustre pour un architecte… Et puis cette cicatrice sur la joue… J'en ai eu des frissons…

— Sarah…

— Oui ?

— De quelle couleur étaient ses cheveux ?

— Roux, pourquoi ?

Je me laissai tomber sur ma chaise. Un verre d'eau apparut presque immédiatement. Je devinais le regard de Sarah. Son incompréhension. Ses paroles me parvenaient comme un lointain écho, comme des phrases entendues sous la surface de l'eau. Que venait faire le Rouquin par ici ? Pourquoi se renseignait-il sur moi ?

Finalement, la réalité parvint à se frayer un chemin jusqu'à moi. Les paroles de Sarah devinrent perceptibles.

— Tu es blanc comme un linge, David, on dirait que tu as vu un fantôme.

Je réussis à boire le verre d'eau sans en renverser une goutte sur la moquette de l'agence. Mes mains tremblaient mais ma femme ne semblait pas l'avoir remarqué. Je perçus de la colère et de la déception dans son regard.

— C'est juste… la chaleur et l'alcool de cette nuit… Ce n'est rien, ça va passer.

— Quand même, tout ça pour quelques feuilles trouvées devant la porte… Et ce rouquin ?

— Aucune idée, mentis-je en me raclant la gorge. Tu peux m'aider pour Paul Vermont ?

Sarah me fixa un court instant avant de soupirer bruyamment. Elle tapa sur le clavier de son ordinateur et consulta l'écran avant de lancer l'imprimante. De l'autre côté de la pièce, Jean se tenait toujours immobile, la tête au-dessus de ses dossiers, sans aucun doute frustré de ne plus pouvoir nous entendre.

— Tiens, dit-elle en me tendant la feuille, voici son adresse. C'est à Saint-Hilaire, pas loin du quartier des Mouettes.

— Merde…, soufflai-je en entendant le nom du quartier de mon enfance – et de la fin de celle-ci. Je ne comprends pas, remarquai-je en pliant la feuille. J'ai cherché sur internet mais je n'ai rien trouvé.

— Normal, la maison a été achetée sous un autre nom, une pratique courante qui importe peu. Du moment que la transaction aboutit… Mais nous devons tout de même récolter la véritable identité, d'un point de vue légal…

— Sous quel nom le propriétaire s'est-il caché ?

— Tu sais que tu me demandes de briser le secret professionnel ?

— C'est important.

Sarah poussa un autre soupir qui en disait long sur ce qu'elle pensait de mes questions. Je la fixai avec le regard le plus attendrissant que je pus trouver, pas certain du résultat, pas certain que mes yeux rougis par l'alcool et la mauvaise nuit soient la meilleure vitrine de mon amour. Elle finit par se tourner vers son écran et me lire ce qu'il y était inscrit :

— Paul Malherbe, l'acte de vente a été enregistré au nom de Paul Malherbe.

— Putain de merde…

— Un merci m'aurait suffi, ironisa-t-elle en me lançant un regard lourd de reproches et d'incompréhension.

— Pardon, chérie… Je veux dire merci pour le renseignement et… Juste quelques jours. Tout va s'arranger…

— Non, David, pas juste quelques jours, rectifia-t-elle, cinglante. Trois jours. Pas plus.

Je quittai l'agence les jambes chancelantes et trouvai un banc sur lequel m'asseoir. Je remis mes lunettes en place, ainsi que la casquette et repensai à ce que je venais d'apprendre.

Le Rouquin.

Le père de Julie.

Malherbe.

J'eus la désagréable impression de me tenir au pied d'un arc-en-ciel et de voir, impuissant, les fantômes de mon passé sortir de terre en griffant le sol. Je ressentis la même peur que celle décrite dans le texte, quand

Julie, Samuel et moi pénétrions dans le chemin boisé qui menait au Bois Tordu. Une peur enfantine. Une peur qu'il était temps de combattre.

Je dépliai le papier que m'avait donné Sarah et lus l'adresse imprimée dessus : Paul Vermont, 18 avenue de la Corniche, 85270 Saint-Hilaire-de-Riez.

J'étais certain que le pied de l'arc-en-ciel se trouverait là-bas.

9

Henri relut les pages plusieurs fois.

Le chat fit de brèves apparitions sur le fauteuil où se trouvait son maître mais à chaque fois il repartait en miaulant, lassé d'attendre des caresses qui n'arrivaient jamais.

L'ancien gendarme ne comprenait pas ce qu'il tenait entre ses mains. Du moins, il ne comprenait pas *pourquoi* il tenait cela entre ses mains. Qui avait pu lui déposer cette enveloppe ? Et dans quel but ? Le douzième chapitre le surprit : c'était le seul où il devenait le personnage principal. À quoi cela rimait-il ?

Henri se leva et se dirigea dans la cuisine. Il attrapa le sachet de croquettes et remplit à ras bord la gamelle de Whiskas. Celui-ci apparut, attiré par le bruit, rancune oubliée.

— Ne m'attends pas Whisk', je dois aller à la pêche aux réponses, lança-t-il au chat qui, tête dans son plat, semblait ne plus être conscient de sa présence. Et pour cela, l'ancien gendarme doit discuter avec un ancien gamin…

Le Rouquin suivit le 4×4 noir avant de comprendre où celui-ci le menait.

Lorsqu'il le vit se garer le long de la corniche, face à la maison de Paul Vermont, Franck fit demi-tour. Il pesta contre la stupidité de David mais s'étonna de son courage. Il se remémora le gamin de cet été 1986. Son attitude fragile. Sa capacité à traverser la pièce sans se faire remarquer, aussi invisible qu'un fantôme. Sa peur aussi, qu'il pouvait lire dans son regard. Une peur constante. Régulière. Une peur d'enfance, de celles qui ne nous quittent jamais réellement.

Son beau-père en était la principale cause. Franck le savait. Il le connaissait. C'était un collègue, il buvait parfois des bières avec lui quand il l'invitait dans la cité HLM. Mais même si le Rouquin rigolait aux blagues débiles, ignorant les ombres hésitantes de la mère et du fils qui sans aucun doute ne l'appréciaient pas beaucoup, il savait très bien ce qui se passait une fois la porte fermée. Et qui mieux que lui pouvait comprendre la peur de l'enfant ? Qui mieux que lui pouvait ressentir la brûlure inextinguible d'une cicatrice mal refermée ?

Cependant, à présent, garé le long de la route de Saint-Hilaire, proche de ce lieu maudit où tout avait basculé, il aurait souhaité que David fût resté ce gosse croisé des années plus tôt.

Il aurait tant voulu qu'il baisse le regard et se détourne des adultes.

Qu'il fasse comme si.

Qu'il referme la porte en oubliant le reste.

10

Je repris la D123 en sens inverse jusqu'à Saint-Hilaire et trouvai facilement la maison de M. Vermont à l'aide du GPS. La climatisation soufflait un air glacé tandis qu'au-dehors des cerfs-volants dansaient dans le ciel et défiaient le soleil.

De petite taille, plus modeste que je m'y attendais, la maison offrait cependant une vue directe sur la langue de plage vendéenne. Je m'attardais un court instant sur le panorama et remarquai que la plage longeait la côte sans être à aucun moment coupée par des remblais rocheux.

Juste du sable.

Sur des kilomètres.

Je me dis alors que depuis ma propriété, qui se trouvait bien plus au nord, trois heures me suffiraient si jamais j'osais le trajet à pied. Trois heures de marche au seul rythme des vagues écumantes qui m'obligeraient à fouler le sable de la plage des Mouettes. Et à découvrir ce qu'étaient devenus les pavillons de mon enfance, ce à quoi je me refusais depuis mon installation dans la région.

Je passai la petite grille (je revis aussitôt l'autre grille, celle rouillée et imposante de l'ancienne maison du patron), longeai la courte allée et frappai à la porte (la porte ogivale à laquelle les griffes de plantes séchées s'agrippaient se dessina à son tour). La réponse se fit attendre mais au bout de quelques minutes un homme plus grand que moi, bien que voûté par les années, ouvrit et m'observa d'un air suspicieux. Le crâne en partie dégarni, la peau diaphane au point que de nombreux filaments veineux perçaient à travers le mince linceul. Ses gestes étaient lents, fatigués, résignés.

— Oui ?

— Monsieur Vermont ? Paul Vermont ?

— Que voulez-vous ?

— Je… je suis désolé de débarquer de la sorte, mais j'aimerais discuter avec vous.

— Discuter ? À quel sujet ?

— Au sujet de votre fille et…

Le propriétaire eut un mouvement de recul. Il fronça les sourcils et me jeta un regard sombre. Derrière moi, provenant de la plage, les rires et les cris des touristes s'échouèrent contre le silence pesant. Je devinai facilement que ces chants heureux ne possédaient plus aucune attraction pour cet homme. Au contraire, les entendre devait lui procurer bien des douleurs…

— De ma fille ?

— Oui. De Julie.

— J'ignore qui vous êtes mais vous n'avez rien à faire ici. Partez avant que je ne prévienne la police.

La porte commença à se refermer. Je peinais à trouver les mots justes mais il fallait à tout prix que j'attire son attention avant qu'il ne disparaisse complètement.

— Je… je l'ai connue, balbutiai-je en baissant les yeux. J'étais avec elle lors de son dernier été… Nous étions amis.

La porte s'immobilisa puis s'ouvrit un peu plus et le visage de Paul Vermont réapparut, l'air intrigué.

— Dans ce cas, vous devez être David, lança-t-il.

— Oui. Comment savez-vous…

— Durant ces vacances, je l'ai appelée tous les soirs. Et à chaque fois, elle me parlait de deux garçons, ses « nouveaux meilleurs amis d'été » comme elle disait. Si je me souviens bien, l'un d'eux était très curieux et n'arrêtait pas de parler, Samuel je crois, ou quelque chose comme ça, et un autre, plutôt maladroit et silencieux. Qui s'appelait David. Ça concorde…

Entendre M. Vermont évoquer les paroles de Julie m'apporta une étrange joie. Pour la première fois depuis une semaine, ce n'était plus les phrases de ces mystérieuses pages retrouvées sur le perron qui me dirigeaient vers elle. Ni les vagues souvenirs contre lesquels j'avais tant lutté et qui à la lecture de ces lignes avaient retrouvé un chemin à travers l'arc-en-ciel, mais beaucoup trop altérés par le temps et l'oubli pour n'être autre chose que des images floues et hésitantes. Non, une partie de Julie émanait de cet homme, de ses souvenirs, et un sourire de nostalgie heureuse se dessina sur mes lèvres alors que Paul Vermont m'invitait à pénétrer dans la maison.

Une fraîcheur bienvenue régnait à l'intérieur. Le vieil homme me demanda de le suivre dans le salon. Les volets étaient fermés, sans aucun doute pour lutter contre la chaleur, et il les ouvrit avec des gestes lents qui semblaient lui coûter beaucoup. La lumière crue nettoya la pénombre et je découvris alors, accrochée sur la droite de l'entrée, une immense peinture représentant une femme droite et élégante. Je m'approchai de la toile, sidéré par le visage doux et apaisé du modèle.

— Éléonore, précisa M. Vermont. Ma femme. Quelque temps avant la maladie.

Le portrait semblait irréel. Les cheveux blonds d'Éléonore Vermont paraissaient détenir leur propre lumière. Ils ceignaient son visage d'une auréole qui devait se voir même dans une pièce plongée dans une semi-obscurité. Le visage de Julie m'apparut alors, aussi pur et angélique que cette première fois où nous nous étions adressé la parole. *Ses cheveux captent toute la lumière du soleil pour la rendre plus dorée encore*, pensai-je en fixant la peinture. Derrière elle, une mer en furie, grise et impétueuse, contrastait violemment avec le calme du portrait. Quand je remarquai que le tableau était signé par Éléonore elle-même, je me dis que la mère de Julie avait deviné la maladie bien avant qu'elle ne l'atteigne, et que ces vagues déchaînées en étaient sans aucun doute une projection inconsciente. Seulement, un autre détail chassa ces pensées. Un détail si petit que je dus m'approcher de la toile pour le comprendre. À la gauche d'Éléonore, en arrière-plan, perdu dans cette mer démontée, le mât d'un bateau pirate pointait discrètement entre deux vagues.

— Ma femme aimait peindre. Elle avait un réel talent, m'apprit M. Vermont en tirant une chaise pour m'inviter à m'asseoir.

Nous nous installâmes autour de la grande table en bois. Il me proposa un café que je refusai. Je mourais d'envie allumer une cigarette (j'aurais dû le prévoir et en fumer plusieurs sur le trajet) mais m'en abstins. Nul besoin d'être médecin pour comprendre que la santé du vieil homme vacillait dangereusement. Partout dans la pièce des boîtes de médicaments étaient éparpillées.

— Vous vivez seul ici ?

— Oui. Une infirmière passe tous les matins et une femme de ménage deux fois par semaine. Elle me fait aussi les courses. Une jeune fille de Saint-Hilaire. Une fille bien.

— Vous êtes malade ?

— Comme tout bon vieillard, ironisa-t-il en haussant les épaules d'un geste résigné. Mais je ne pense pas que vous soyez venu jusqu'ici pour me parler de ma santé…

— C'est exact, admis-je, en essayant de deviner de quelle maladie pouvait souffrir le vieil homme. Je suis venu vous parler de Julie.

— Et pour quelle raison, après toutes ces années, vous intéressez-vous à ma fille ?

Sur le chemin, j'avais décidé de ne pas parler du texte. Il y avait trop de zones d'ombre à éclairer avant de l'exposer à quiconque. Je ne savais toujours pas qui me l'avait envoyé ni pourquoi.

— Eh bien… cela va vous paraître bizarre mais ces derniers jours les souvenirs de Julie n'ont cessé de remonter à la surface. Nous avons passé beaucoup de temps ensemble, avec elle et Samuel, et si je me souviens bien elle nous avait dit que ses parents étaient morts. Je n'ai jamais compris pourquoi elle nous avait menti. Lorsque je l'ai appris, j'ai ressenti comme une trahison, ce qui ne collait pas avec l'attitude franche et sincère qu'elle avait avec nous.

— Elle l'a fait parce que je le lui avais demandé, répondit automatiquement l'ancien patron, comme s'il avait attendu cette question toute sa vie.

— Vous… vous le lui aviez demandé ? demandai-je perplexe.

— Exactement. Personne ne devait savoir qu'elle était ma fille, c'était la consigne.

— Pour quelle raison ?

— Parce que les hommes sont fous, jeune homme. Et à cette période, ils l'étaient encore plus…

— Je ne comprends pas.

— C'est très simple pourtant. Je lui avais fait une promesse et une promesse se doit toujours d'être honorée. À la mort de sa mère, j'étais incapable de m'occuper d'elle. Ce fut sa tante qui l'éleva, à Bordeaux. Elle fit sa scolarité là-bas et moi je venais la voir le week-end et pendant les vacances. La gouvernante, Tatie, je crois que vous l'avez connue, s'occupait parfaitement de Julie. Elles étaient devenues inséparables. Julie n'avait plus aucune raison de venir vivre avec un père qui, aveuglé par le chagrin et l'alcool, se noyait dans le travail. Mes visites hebdomadaires suffisaient amplement à son équilibre. Elle me demanda une seule fois de lui raconter la mort de sa mère, elle venait d'avoir onze ans. Il était hors de question de lui parler de souvenirs évanescents, de suicide et de pendaison. J'inventai alors une histoire, un arrêt cardiaque aussi soudain que définitif survenu durant nos vacances au centre de l'avenue des Mouettes. Je lui expliquai qu'elle n'avait pas souffert, qu'elle était morte aussi paisiblement que possible. Plusieurs fois elle me demanda de l'emmener là-bas, dans la belle maison où sa mère s'était endormie pour toujours. Chaque fois je refusai, n'ayant moi-même plus le courage de m'y rendre. Puis, elle me le fit promettre. Et lorsque Julie avait une idée en tête, difficile de la lui enlever ! À contrecœur, je lui certifiai que l'été suivant, elle passerait une semaine de vacances aux pavillons des Mouettes. Je ne l'avais jamais vue aussi heureuse !

En l'écoutant évoquer une crise cardiaque à la place d'une pendaison, je compris que Julie avait entendu la vérité sur la mort de sa mère alors que nous nous rendions au Bois Tordu. Par nos propres bouches. Nous avions été sans même nous en douter de funestes messagers.

— Et pourquoi ne devait-elle pas dire qu'elle était votre fille ?

— Juste avant cet été, l'usine a connu des difficultés financières. De graves difficultés. Je n'avais plus le choix, je devais fermer boutique en fin d'année. Si je me souviens bien, ton beau-père travaillait au soudage et ta mère à la facturation.

— Vous vous souvenez d'elle ?

— Tout le personnel était comme une famille pour moi, vraiment. Chaque anniversaire était fêté, chaque naissance avait droit à une prime, chaque départ en retraite me déchirait le cœur… Et puis, après la disparition d'Éléonore, ce petit monde est devenu ma bouée de sauvetage. Mais je ne pouvais faire autrement. La nouvelle de la fermeture a fuité et j'ai commencé à recevoir des lettres de menaces.

— Des lettres de menaces ?

— Oh, souvent ce n'était pas grand-chose, des vitupérations sans grande portée, mais une dizaine de jours avant que Julie ne se rende à Saint-Hilaire, une lettre beaucoup plus précise et dangereuse est arrivée.

— Que disait-elle ?

— Je m'en souviens comme si c'était hier. Elle disait simplement : « Tu vas le payer. Nous allons brûler le fantôme de ta femme. Et ta petite fille. »

— Mon Dieu… Et vous avez quand même laissé Julie y aller ?

L'idée qu'un père sachant sa fille en danger ne fasse rien pour la protéger me dépassait. Si cet homme disait la vérité, il était aussi coupable que le meurtrier !

— Ce n'étaient que des lettres de frustration… Et elle n'était pas seule. Elle avait un protecteur.

J'écoutai l'ancien propriétaire de l'usine expliquer que Franck, le Rouquin, la seule personne en qui il eût confiance après la mort de sa femme, était celui chargé de veiller discrètement sur Julie. Il était en quelque sorte les yeux et les oreilles du patron. C'est lui qui s'inquiéta le plus quand la première lettre de menaces arriva, en avril 1986. Comme il connaissait la plupart des employés et qu'il vouait une amitié sans faille à son patron, il se mit en tête de découvrir qui en était l'expéditeur. Ses soupçons l'amenèrent vers un groupe de salariés dont il se rapprocha dans le but de gagner leur confiance. M. Vermont ne les cita pas, peut-être pour ne pas me peiner, mais je compris qu'il s'agissait de mon beau-père, de Fabien et des autres collègues présents dans le salon le soir de notre arrivée. Et de ma mère. Paul vit le trouble dans mon regard et s'empressa de me rassurer :

— Parfois les hommes deviennent fous, mon garçon. Et l'amour est souvent la raison de cette folie. Ne blâme pas ta mère, elle n'avait guère le choix.

— Donc, le Rouquin était chargé de protéger Julie, tout en surveillant ceux qui voulaient lui nuire ? éludai-je en repoussant loin de moi l'idée que ma mère ait pu participer à tout cela. (Cependant, à chaque fois que je le faisais, son comportement étrange, ses regards perdus en direction de la maison du patron, sa tristesse contagieuse revenaient vers moi comme autant de vagues opiniâtres souhaitant creuser le sable de la vérité.)

— Exactement. Il me donnait des nouvelles plusieurs fois par jour.

— Mais cela n'a pas suffi…, soupirai-je en dévisageant l'autoportrait.

— Non, malheureusement, cela n'a pas suffi, souffla tristement Vermont.

— Et si je vous disais que mon ami Samuel s'est souvenu d'avoir vu le Rouquin avec Julie quelques heures avant que son corps ne soit retrouvé ?

— Dans ce cas je vous répondrais que c'est tout à fait possible. Il devait la raccompagner, sans aucun doute. L'incendie, toute cette foule et la menace latente des employés envers ma fille… Il a dû juger bon de faire le trajet avec elle, prétextant certainement qu'il habitait sur le même chemin.

Je fixai un court instant le père de Julie. Son visage parsemé de taches de vieillesse et de douleurs endormies imposait le respect. Malgré cela, j'eus la nette impression qu'il ne me disait pas tout.

— Pensez-vous que… que mon beau-père et ses collègues auraient été capables de réellement tuer Julie ? demandai-je pour masquer mon trouble.

— Non, affirma-t-il. Ils avaient peur de perdre leur emploi, ils étaient en colère et certainement ivres durant toute cette semaine de vacances, mais aucun d'eux n'aurait été capable de cela. Ils se sont contentés de mettre le feu à la maison. Et le meurtrier, lui, a été arrêté le lendemain. Un gamin du coin qui n'avait rien à voir avec l'usine.

— Et Émilie, y avait-il un lien ?

— Je l'ignore. Vous savez, les enfants disparaissent souvent sans qu'il y ait de véritables raisons. Ce sont des proies faciles, tout simplement. Et le monde est peuplé de prédateurs. Hier, à la radio, j'ai écouté une émission sur le sujet. Le journaliste parlait de disparitions d'enfants qui avaient eu lieu à Détroit, à la fin des années 90. Pour beaucoup, le coupable était un géant de brume échappé d'une légende ancestrale. Concernant Julie et Émilie, certains illuminés croient encore que ce sont les pirates qui les ont appelées. Tandis que vous, vous prétendez que votre ami se rappelle l'avoir vue avec le Rouquin et supposez une menace là-dedans. N'écoutez pas toutes ces sottises. La vérité est connue, le coupable a été arrêté. Laissez Julie tranquille. Elle le mérite. Oubliez les murmures.

— Quels murmures ?

— Ceux du passé, de vos souvenirs ! Ceux que vous percevez lorsque vous pensez à Julie, à votre mère et à ce terrible été ! Chacun de nous possède en lui des souvenirs oubliés qui ressurgissent de temps à autre, que ce soit par une odeur, un goût, un son, des évènements précis que l'on rencontre et qui nous replongent alors dans le passé. Ne vous fiez pas à ces réminiscences ni à celles de votre ami. Elles peuvent parfois apporter plus de souffrance que de soulagement…

Le vieil homme marqua une pause. Il dirigea son regard vers le portrait de sa femme. Il me sembla voir les lèvres du patron bouger, comme s'il avait oublié ma présence et s'adressait à la peinture. Je fus persuadé que, une fois seul, les volets fermés, il se tenait face à elle et lui parlait aussi naturellement qu'avec moi.

— Croyez-vous aux fantômes ? reprit-il soudain, délaissant le portrait d'Éléonore pour me faire face.

— Aux fantômes ? Non… non, je ne…

— Vous devriez. Car toute cette histoire est une histoire de fantômes. De ces morts qui reviennent à la vie… De ces vivants qui semblent déjà morts… Tous sont des fantômes. Et tous ont un message à porter. Pensez-y. N'oubliez jamais. Répétez-le et gardez-le en tête avant que vos souvenirs ne deviennent eux-mêmes des fantômes…

— Je ne suis pas certain de comprendre…

— Il n'y a plus rien à comprendre. Laissez les morts reposer en paix, voilà tout, conclut-il d'un ton impatient.

Puis, se levant de sa chaise, le père de Julie m'adressa un sourire gêné.

— Vous savez, remuer tous ces douloureux souvenirs n'arrange rien et fatigue plus que de raison. Je pense qu'il est temps de partir.

Je me levai à mon tour et me dirigeai vers la porte d'entrée.

— Une dernière question, imposai-je alors que M. Vermont m'ouvrait la porte et qu'un flot de chaleur en profitait pour se ruer à l'intérieur.

— Je vous écoute.

— Est-ce que ce poème vous dit quelque chose : « Mais elle était du monde, où les plus belles choses ont le pire destin ; et rose elle a vécu ce que vivent les roses, l'espace d'un matin » ?

Paul Vermont blêmit subitement. La lumière accentua la pâleur de sa peau.

— François de Malherbe, articula-t-il difficilement tout en fermant la porte. C'était le poète préféré de ma femme.

11

Franck gara le véhicule derrière l'allée de pins.

Face à lui, le portail grand ouvert lui tendait les bras, l'invitant à pénétrer dans la propriété privée.

Il ferma les yeux un instant, tenta d'ignorer les murmures du passé mais rien n'y fit. Il les entendait toujours. Depuis des années. Depuis la nuit où la pendue était partie en fumée, rejointe quelques instants plus tard par Julie. Le Rouquin avait pensé qu'avec le temps, ces souvenirs se seraient tus. Mais rien n'empêche le passé de murmurer. Rien. Il frappa plusieurs fois le volant du poing. Il savait qu'il devait agir. Tenir sa promesse. Encore et encore. Jusqu'à la folie. La protéger. Encore maintenant.

Il attendit quelques minutes que son esprit se calme. Il regrettait amèrement la tournure prise par les évènements lors de cet été. Il avait presque fini par vivre avec, jusqu'à ce que Paul Vermont vienne le voir chez lui, dans la froideur de l'hiver, six mois plus tôt, pour lui avouer que la vérité risquait de sortir prochainement. Il prétendait ne pas savoir de qui viendrait la fuite. Mais Franck le connaissait assez pour déceler le mensonge dans ses paroles.

Et maintenant tout prenait sens.

Il fallait donc agir.

Mais pas brutalement.

Il se souvenait du gamin. Il l'aimait bien à l'époque, même si son rôle était de veiller sur Julie. Le Rouquin n'avait émis aucune opposition lorsque Tatie l'avait prévenu qu'ils étaient devenus amis. Il était même content qu'elle soit tombée sur ce gosse.

— Laisse-la faire, avait-il conseillé à la gouvernante. C'est une enfant, elle doit avoir des amis.

— Si cela ne pose aucun problème…, avait acquiescé Tatie. Ce sont de bons gamins.

— Ouais, avait soufflé Franck en pensant à sa cicatrice. Mais souvent les bons gamins n'attirent pas les bons adultes.

— Elle est heureuse d'être ici. M. Vermont a pris la bonne décision.

— Il a tenu sa promesse. À moi de tenir la mienne.

Dès lors, le Rouquin avait surveillé discrètement les enfants. Il les vit faire connaissance puis devenir inséparables. Il tiqua légèrement quand il les surprit en train de s'évader de chez Tatie en pleine nuit. Il marcha dans leur sillage et détourna les yeux quand Julie et David s'immobilisèrent, face à face sur la plage, pour un probable premier baiser.

Mais les évènements s'étaient accélérés depuis plusieurs jours déjà. Le beau-père du gamin, Fabien, tous étaient décidés. Ils voulaient faire souffrir le patron. Ils voulaient le punir pour leur avoir caché la vérité. Les jerricans d'essence étaient prêts. Les alibis aussi.

Cependant, ils étaient trop faibles pour agir. On pouvait le voir dans leurs regards fuyants quand le gamin apparaissait dans la pièce.

Alors Franck s'était désigné.

Il serait celui qui tuerait Julie.

12

Je partis de chez Paul Vermont avec l'étrange impression que quelque chose m'échappait.

« Le poète préféré de ma femme. »

Était-ce Éléonore la clef de toute cette histoire ? Je me refusais d'aller dans ce sens. Sinon, quelle serait la prochaine étape ? Acheter une planche de Ouija pour pouvoir communiquer avec elle et obtenir les réponses que son mari refusait de me donner ?

La seule chose dont j'étais certain était que Paul Vermont ne m'avait pas tout dit. J'avais également noté son changement d'humeur quand j'avais prononcé le prénom d'Émilie. C'était à cet instant qu'il s'était montré pressé de me voir partir, comme si je touchais là un sujet bien plus douloureux et embarrassant que la mort de Julie.

Le message sonore de mon téléphone m'indiqua que je venais de recevoir un texto. Je le sortis de ma poche et lus le message de Sarah : *Trois jours*.

— Merde, pestai-je en passant mon portail. Trois jours pour arriver à communiquer avec un fantôme !

C'est alors que j'aperçus une Fiat Panda rouge garée devant le perron. Le conducteur se trouvait toujours à l'intérieur, silhouette énigmatique, immobile, et l'idée que ce puisse être le Rouquin (ce croquemitaine qui s'était renseigné sur mon adresse) me remplit d'une peur enfantine. Je stoppai le 4×4 et fouillai en vain la boîte à gants à la recherche d'un objet susceptible d'être utilisé comme arme de défense (*paquet de kleenex, non, vieille carte routière, non plus, télécommande du portail électrique, toujours pas*). Mais alors que j'ouvrais fébrilement ma portière et que le bruit des vagues m'entourait comme une dernière étreinte, un homme longiligne (*qu'il doit être à l'étroit dans une si petite voiture*) émergea de la Fiat et marcha dans ma direction. J'abandonnai sur le siège passager le stylo Bic découvert in extremis et que je tenais comme un couteau (il m'avait semblé qu'en visant bien l'œil j'aurais pu me soustraire de l'emprise de mon agresseur à la cicatrice) et sortis à mon tour.

— Vous êtes sur une propriété privée, lançai-je d'une voix faussement assurée.

L'homme s'approcha de moi et me tendit la main, avec un sourire gêné.

— Je sais, monsieur Malet, veuillez m'excuser mais comme le portail était ouvert, j'ai préféré vous attendre dans la cour.

— M'attendre ? Nous avions rendez-vous ? Vous venez pour le portail ? C'est ma femme qui vous a contacté ? (*tic-tac, tic-tac, trois jours*...)

— Non, pas vraiment. Je suis venu car je pense que nous avons un problème en commun.

— Un problème ? Je ne vois pas à quoi vous faites allusion. D'ailleurs, il ne me semble pas vous connaître.

— Je suis l'aveugle, monsieur Malet. Et si, nous nous sommes déjà rencontrés.

Août 1986

Paul Vermont quitta l'usine vers 19 heures.

Il avait travaillé tard, donné de nombreux coups de fil aux usines de la région pour tenter de reclasser plusieurs de ses meilleurs employés. Seulement, la crise était devenue nationale, et aucun de ses contacts ne fut capable d'accéder à sa requête.

Il composa le numéro du pavillon où Julie et Tatie se trouvaient en vacances mais n'obtint aucune réponse. Peut-être étaient-elles sorties manger une glace avec les deux garçons dont sa fille lui parlait tant… Ou bien étaient-elles encore sur la plage, à profiter des derniers rayons du soleil…

Il rentra chez lui deux heures plus tard et fut accueilli par les jappements heureux de Malherbe, le golden retriever qu'Éléonore avait adopté une dizaine d'années auparavant. Le chien secoua la queue et accompagna la voiture jusqu'à ce qu'elle se gare devant la maison bourgeoise. Paul caressa le museau du chien en se demandant si lui aussi ressentait le manque et la tristesse. Pour toute réponse, Malherbe ouvrit le chemin jusqu'à la porte d'entrée et jappa de nouveau, impatient de se coucher sur le tapis du salon et de laisser ainsi le temps s'écouler.

Le patron dîna d'un plat surgelé tout en réfléchissant à la meilleure manière d'annoncer la fermeture de l'usine aux salariés, quand tous seraient revenus de Saint-Hilaire. Il avait beau noter sur une feuille des tournures teintées d'espoir, des mots doux et apaisants nimbés de regrets et de fatalité, chaque phrase lui semblait vide de sens. Il songea à son père, le patriarche, et aux barbecues de l'été dont la tradition s'était éteinte le jour où Éléonore avait été retrouvée pendue à une corde.

La seule lumière qui perçait de toute cette obscurité se prénommait Julie.

Elle ressemblait de plus en plus à sa mère. Sa blondeur. Ses traits fins. Ses yeux dans lesquels on pouvait deviner des univers impénétrables… Il avait longuement hésité à la laisser se rendre en Vendée. Mais elle aussi avait besoin de se recueillir et de connaître l'endroit où sa mère avait séjourné de nombreux étés. Elle ne pourrait plus le faire une fois que l'usine serait fermée. Les banques saisiraient le centre de l'avenue des Mouettes pour combler les pertes. Cela servirait à dédommager les salariés. Ensuite, impossible de prédire ce qui adviendrait des bâtiments déjà âgés.

« Promets-moi de me laisser visiter maman », avait-elle imploré…

Instinctivement, il tourna la tête en direction du tableau accroché sur le mur de la salle à manger.

— Éléonore, souffla-t-il, en repoussant les larmes et le désarroi qui revenaient avec la même régularité que les marées. Vois-tu Julie de notre maison des Mouettes ? Te sourit-elle ? Te murmure-t-elle son amour ? Ne la trouves-tu pas magnifique, notre fille ?

Puis Paul Vermont débarrassa sa table avec lenteur, cette lenteur qui dirige les gestes de ceux qui n'ont plus rien à espérer, souhaita une bonne nuit au portrait de sa femme défunte et monta le long escalier jusqu'à sa chambre.

À 2 heures du matin, la sonnerie du téléphone l'extirpa de son sommeil.

Il sortait juste d'un cauchemar dans lequel sa femme se trouvait en chemise de nuit sur la plage, l'air hagard, accompagnée par le regard malveillant de la pleine lune et par des voix qui semblaient sortir de la mer. « Les entends-tu, Paul chéri ? » lui avait-elle demandé d'une voix qu'il peina à reconnaître.

— De quoi parles-tu, Éléonore ?

Mais elle ne semblait pas entendre sa réponse. Elle continuait d'avancer et ses chevilles furent bientôt enlacées par l'écume des vagues. Puis ses genoux disparurent à leur tour et l'eau arriva rapidement jusqu'à sa taille.

— Les voix, prononça-t-elle en pénétrant davantage dans l'océan. Elles m'appellent…

Paul fut incapable d'esquisser le moindre geste. Il resta là, sur le sable, à regarder sa femme s'enfoncer dans l'eau, marcher aussi facilement que sur la terre ferme.

— Les voix, je dois les rejoindre, elles ont besoin de moi.

Il demeura ainsi, immobile, les bras ballants, à assister à la disparition complète de son épouse. La dernière image qu'il garda de ce cauchemar – alors qu'il descendait l'escalier en colimaçon pour répondre au téléphone qui sonnait depuis plusieurs minutes – était celle de la mer qui, juste après avoir enseveli la silhouette d'Éléonore, était devenue aussi calme et étale qu'un lac de montagne.

— Allô ?
— Monsieur Vermont ? C'est Franck… Je… je…
— Bon sang, Franck, il est 2 heures du matin ! Qu'est-ce que qui te prend ? Julie va bien ? marmonna-t-il, une partie de lui encore endormie sur cette plage.
— Monsieur Vermont… Il s'est passé quelque chose de terrible…

Et le lac se transforma subitement en une mer déchaînée.

13

— Nous nous sommes déjà rencontrés ? demandai-je, perplexe.

— En 1986. J'étais gendarme auxiliaire. C'est moi qui ai découvert le corps de Julie. Je suis Henri, Henri Bichaut.

— Je vois… Bonjour monsieur Bichaut, dis-je en serrant la main qu'il me tendait. Et vous dites que vous êtes « l'aveugle » ? Je ne saisis pas…

J'avais eu assez de rencontres bizarres pour la journée et – était-ce la présence du Rouquin dans la région, le sentiment étrange que m'avait inspiré Paul Vermont ou tout simplement le compte à rebours menaçant imposé par Sarah ? – je ne souhaitais qu'une seule chose, rentrer chez moi, prendre une aspirine et oublier pour quelques heures toute cette histoire.

— Je m'excuse d'être suspicieux, ajoutai-je en scrutant mon vis-à-vis (barbe mal rasée, regard hésitant, pantalon élimé et tee-shirt trempé de sueur, sans compter qu'il avait pénétré dans une propriété privée, ce qui l'éloignait considérablement de mon idée du gendarme), mais j'ignore de quoi vous voulez parler.

Comprenant mes doutes, Henri Bichaut sortit des feuilles de papier pliées de la poche arrière de son pantalon.

— J'ai reçu ceci, il y a quelques jours, vous êtes le personnage principal, le sourd, j'en ai donc conclu que vous aussi l'aviez reçu. Mais si ce n'est pas le cas, je m'excuse de vous avoir dérangé…

— Attendez… Oui, je l'ai reçu également. Tout comme mon meilleur ami, Samuel.

— Le muet ?

— Oui, le muet. Venez, allons à l'intérieur, je crois que nous avons à discuter.

Nous nous dirigeâmes vers le perron et à l'instant où je posai le pied sur la première marche je me rendis compte que la porte d'entrée était entrouverte. Mon corps entier se figea, ce qui intrigua Bichaut qui, par mimétisme, se transforma lui aussi en statue.

— Que se passe-t-il ?

— La porte. Elle est ouverte.

— Votre femme ?

L'idée de dévoiler à un parfait inconnu les tourments de ma vie sentimentale ne me traversa même pas l'esprit. Je me contentai d'un mouvement de tête pour lui indiquer que ce ne pouvait être le cas.

— Vous n'avez pas de système d'alarme ?

— Si. Mais comme je ne sors que rarement j'oublie systématiquement de l'activer.

— Vous voulez que je passe devant ?

— Non, affirmai-je d'un ton que je voulus décidé.

Puis, en tournant la tête sur le côté, j'aperçus une pierre suffisamment grosse pour être menaçante.

— Allons-y.

Nous avançâmes à pas prudents, avec la lenteur de deux cosmonautes progressant dans un monde sans apesanteur. D'une main, que je priai de ne pas trembler, je poussai la porte puis pénétrai à l'intérieur, suivi de près, de très près (je pouvais sentir l'odeur de sa sueur) par le propriétaire de la Fiat rouge.

— Vous avez des ennemis ? Peut-être par rapport à vos livres ? me demanda-t-il d'une voix mal assurée.

— Chut ! Vous avez un flingue ?

— Un flingue ! Mais je ne suis plus gendarme depuis des années ! Pourquoi ? Vous en avez un, vous ?

— Non, juste un Bic noir dans la voiture… À trois, on fonce. Nous aurons pour nous l'effet de surprise, affirmai-je.

— O… OK, répondit simplement Bichaut, et je me dis alors, devant son peu d'assurance, que c'était une bonne chose pour la population qu'il ne soit plus dans les forces de l'ordre.

— Un… deux… trois !

Nous nous ruâmes à l'intérieur en hurlant des phrases entrecoupées d'onomatopées dont aucun de nous n'aurait été capable de définir le sens ni même la provenance linguistique. Mais nos invectives ne rencontrèrent que leur propre écho.

— Personne, décréta l'ancien gendarme.

— Du moins, pas au rez-de-chaussée, tempérai-je après avoir fait le tour du salon et de la cuisine. Je vais jeter un coup d'œil en haut. Restez là.

Je montai à l'étage d'un pas prudent, fis le tour de toutes les pièces, puis redescendis, bredouille.

— Personne non plus.

— Bon sang, quel bordel !

Le salon, dont les murs étaient d'ordinaire recouverts de larges bibliothèques surchargées, se trouvait maintenant complètement à nu. Les meubles avaient été poussés contre le sol, éparpillant des centaines de livres dans toute la pièce.

— Je crois que le type qui a fait ça cherchait quelque chose, suggéra « Sherlock Holmes Bichaut ».

— En effet, et il a dû le trouver sinon il aurait retourné les autres pièces.

— Des objets de valeur ? Un coffre ?

— Regardez autour de vous, rien que l'ensemble TV Bang & Olufsen vaut trois SMIC… Le Mac est toujours là. Et Dieu merci, le tableau dans la chambre également. N'importe quel voleur se serait rué sur la cave à vins de la cuisine !

J'imaginai un instant la scène : Sarah rentrant demain, se dirigeant dans la chambre et découvrant à la place de la photographie d'Hiroshi Sugimoto une affiche promotionnelle d'Atlantic Toboggan (non sans humour) par le voleur qui nous aurait également délestés de tous nos autres objets de valeur. Un voile de sueur froide m'enveloppa avec affection. Je me promis de faire installer rapidement un nouveau moteur pour le portail.

— On devrait appeler la gendarmerie, me dit Bichaut.

— Non, pas tout de suite. Vous n'avez rien entendu ou vu quand vous étiez dehors à m'attendre ?

— Non, rien. Je suis resté dans ma voiture jusqu'à ce que vous arriviez. Vous les avez tous lus ? s'enquit-il en se penchant pour ramasser un exemplaire de *La Chute*, d'Albert Camus.

— Oui, je passe mes journées à lire et… Attendez.

— Que se passe-t-il ?

— Le manuscrit.

— Quel manuscrit ?

— Celui que vous avez reçu… enfin je veux dire mon exemplaire. Je l'avais laissé là, sur la table.

— Vous croyez que…

— Aidez-moi.

Nous passâmes un bon quart d'heure à fouiller la pièce, à soulever les étagères et à disperser les livres. Mais aucune trace des mystérieux chapitres. Il ne faisait plus aucun doute que la personne qui était entrée par effraction dans ma maison était repartie avec. Je compris aussitôt qui était venu me rendre visite.

— Le Rouquin, soufflai-je.

— Vous voulez dire… celui de ce fameux été ?

— Oui. Il est dans le coin, ma femme a eu affaire à lui hier. Il voulait connaître mon adresse.

— Quitte à me répéter, je pense que vous devriez prévenir la gendarmerie.

— Non, pas tant que je n'aurai pas compris où cela me mène. De quoi parle votre douzième chapitre ?

— De la découverte du cadavre et de l'enquête.

— Je peux le lire ?

— Si vous voulez. Et le vôtre ?

— Un poème.

— Logique pour un écrivain, ironisa-t-il.

— Vous aimez le cognac, je n'ai plus de whisky ? demandai-je en me dirigeant vers le bar.

Si j'avais été seul, j'aurais certainement craqué et crié ma colère comme je l'avais fait la veille. Mais la présence de cet Henri Bichaut me l'interdisait. À l'observer, j'avais rapidement pris conscience qu'il ne savait pas plus que moi d'où provenaient les enveloppes et encore moins qui nous les avait envoyées. Et comme dans tout bon bateau, même ceux perdus en pleine mer, il était essentiel qu'il y ait un capitaine à la barre…

— Non merci, je ne bois pas d'alcool.

— Sérieux ? m'étonnai-je. Rassurez-moi, vous êtes séparé ?

— Euh non, juste célibataire. Pourquoi ?

— Pas d'alcool, pas de flingue, pas d'ex-femme sur laquelle cracher… Merde, vous feriez un mauvais personnage de roman !

— Et vous un mauvais garde-meuble ! me sourit-il en embrassant la pièce d'un geste de la main.

— Avant de me mettre à ranger tout ce bordel, venez avec moi sur la terrasse, le temps que je boive ce merveilleux cognac et que je lise votre douzième chapitre. Car croyez-moi ou pas, j'ai la nette impression que les réponses à nos questions se trouvent dedans.

— Entendu, l'écrivain, acquiesça Bichaut. Pendant ce temps-là je fumerai une cigarette en observant le soleil se coucher. Ça me changera de la vue de mon appartement !

— Ah ! Je le savais ! Vous remontez dans mon estime ! Les flics fument toujours dans les polars !

CHAPITRE 12
L'AVEUGLE

« Merde Henri... Qu'est-ce qu'il y a sur la plage ?
— Je crois... je crois que c'est... Émilie. »

La nuit avait été très courte pour Henri Bichaut.

Son chef, ainsi que Pierre Mathieu, le pompier, l'avaient suivi jusqu'au corps d'Émilie. Eux aussi avaient eu des haut-le-cœur en voyant l'enfant brûlée et recroquevillée de la sorte.

Immédiatement, l'officier de police avait joint son adjudant qui à son tour avait alerté le procureur. Une heure plus tard, le périmètre était « gelé » et occupé par une dizaine de personnes particulièrement nerveuses. Des groupes électrogènes nourrissaient en énergie de puissants spots, faisant danser sur le sable les ombres des enquêteurs comme celle des vacanciers un jour de grand soleil. Le médecin du SAMU effectuait une première expertise visuelle du corps tandis qu'Henri ramassait les vêtements disposés à côté. Avec ses mains gantées, il déposa les pièces à conviction dans un sachet qu'il tendit à un membre de la police scientifique. Puis il quitta la scène, salua du regard son chef et enjamba les bandes de sécurité pour enfin rentrer chez lui.

3 h 40.

Une fois dans sa chambre, il avala un comprimé entier de Lexomil en sachant pertinemment que le cadavre d'Émilie le hanterait toute la nuit.

Henri attendit que son adjudant brise le silence.

Les parents de la jeune fille avaient quitté les lieux depuis une bonne demi-heure maintenant.

La sentence du père d'Émilie flottait encore dans la salle d'interrogatoire, lourde et imperturbable comme un nuage menaçant.

« Non, ceci non plus n'appartient pas à Émilie. Elle n'a jamais porté de bracelet brésilien. J'en suis certain. »

— L'affaire du petit Grégory.

— Pardon mon adjudant ?

— Tu te souviens de l'affaire du petit Grégory, il y a deux ans ?

— Oui, répondit Henri, curieux de savoir pour quelle raison son supérieur évoquait cet épisode.

— Les errements des gendarmes, les pistes multiples, les révélations dans la presse... Eh bien voilà exactement ce que le procureur ne veut pas. Autrement dit, il espère que l'on retrouve rapidement celui qui a tué Émilie. Qu'on ne foire pas et que cela ne prenne pas des années. C'est ce qu'il m'a fait comprendre au téléphone ce matin. Et maintenant je dois le prévenir qu'il est possible que le corps retrouvé cette nuit ne soit pas celui de la petite fille, mais celui d'une deuxième enfant.

— Le médecin légiste nous éclairera peut-être…

— Mouais… Et l'assassin se présentera peut-être de lui-même, ironisa l'adjudant en se levant.

Les deux hommes sortirent la tête basse. Chacun de leur côté, ils occupèrent l'heure suivante à essayer de comprendre. Le médecin légiste devait en ce moment même prendre le relais du SAMU et expertiser plus en détail la dépouille à présent à l'abri dans une salle aseptisée. La toute nouvelle branche des techniciens en identification criminelle avait étudié la scène de crime durant de longues heures, et la mine déconfite de ses membres au petit matin n'augurait rien de bon.

Vers 11 heures, alors qu'Henri luttait contre la fatigue en buvant un énième café lyophilisé, le standardiste le héla depuis le poste d'accueil :

— L'auxiliaire ?

— Ouais, répondit-il d'une voix pâteuse.

— Tu étais aux Mouettes cette nuit ?

— Affirmatif.

— Alors c'est pour toi.

— Qu'est-ce que c'est ?

— Un appel. Un joggeur qui faisait son footing ce matin le long de la plage des Mouettes. Il dit qu'il a trouvé des vêtements d'enfant dans l'eau.

Frédéric habitait Saint-Jean-de-Monts et effectuait deux fois par semaine, en courant, le trajet aller-retour entre sa maison et Saint-Hilaire.

— Plus de deux heures trente à courir le long de la plage. Je suis prof de sport au lycée professionnel. Je me prépare pour le triathlon de Saint-Gilles-Croix-de-Vie.

— C'est ici que vous avez trouvé ces vêtements ?

— Oui, je venais juste de dépasser la portion de plage où... où la police a fait des fouilles.

Henri jeta un regard vers le nord. Il pouvait apercevoir les rubans jaunes indiquant de ne pas fouler l'espace encadré. Un gendarme devait sans aucun doute être chargé de la surveillance de la zone, en attendant les résultats définitifs des techniciens qui donneraient alors le feu pour lever le camp. Henri pouvait aussi deviner les serviettes qui s'étalaient autour de la zone et les badauds en train de tenter d'arracher quelques détails croustillants au militaire en faction, avant de se jeter dans l'eau et de penser au barbecue du soir. Il poussa un soupir, résigné, et laissa quelques secondes la chaleur du soleil irradier son visage.

— Très bien, ajouta-t-il en précisant à Frédéric qu'il serait peut-être convoqué à la gendarmerie pour faire une déposition. Merci de nous avoir appelés.

— À votre service, le salua le joggeur avant de disparaître à petite foulée.

Henri enfila des gants en plastique et resta un moment accroupi au-dessus du tee-shirt que les vagues insistantes avaient déposé sur la plage.

« Le procureur ne veut pas d'une affaire Grégory. »

Il expira une grande bouffée d'air et déplia le tissu pour en observer l'aspect général.

« Des déchirures devant, derrière. Des taches foncées qui pourraient être du sang. Merde. »

Il retourna le tee-shirt et découvrit une inscription brodée sur le col. Le prénom et l'initiale du nom de famille avaient très certainement été apposés sur le vêtement au moment d'un départ en colonie de vacances ou d'un voyage scolaire.

« Émilie D. »

Non loin du tee-shirt, une chaussette rose avait également été rapportée par le courant. La même inscription brodée à l'intérieur de la chaussette.

« Émilie D. »

Comme Émilie Dupuis, disparue depuis maintenant une semaine.

Émilie, toujours disparue malgré le corps retrouvé cette nuit.

Henri mit le tout dans un sac plastique grand format et scruta un instant l'horizon. Il se demanda si ces deux bouteilles jetées à la mer contenaient comme message un appel à l'aide ou une sentence.

Les parents d'Émilie furent convoqués de nouveau dans l'après-midi. Ils reconnurent sans hésitation les habits de leur fille. C'est la mère qui avait brodé les inscriptions à l'occasion d'un séjour au ski organisé par sa classe. Cette fois, la lueur d'espoir qui vacillait encore ce matin dans leur regard s'éteignit complètement.

Henri resta seul dans la pièce.

Son adjudant était en train d'appeler le procureur. Juste avant, ils avaient échangé leurs idées et les tâches à effectuer rapidement : programmer une réunion de crise dans une heure, envoyer les vêtements pour analyse, prévenir l'unité de gendarmerie maritime des Sables-d'Olonne afin qu'ils envoient une équipe sur la zone, patrouiller et relever les hypothétiques témoignages des utilisateurs des ports de plaisance, étudier les courants marins...

Comme tout bon enfant du pays, Henri savait que si corps il y avait, on ne le retrouverait que lorsque la mer déciderait de le rejeter. Si elle le rejetait. Parfois elle décidait de le garder. Et il savait également qu'au bout de deux jours dans l'océan un corps pouvait devenir méconnaissable. La température de l'eau était un critère important (plus l'eau est chaude, plus le corps se décompose rapidement) mais la présence de crustacés « mangeurs de chair » tels que les crabes, galathées et autres crevettes pouvait également accélérer le processus. Alors, parfois, la mer libère le corps en le faisant remonter à la surface, ce qui, en milieu salé, peut prendre de trois à sept jours. Et la victime, débarrassée d'un ou de plusieurs de ses membres émerge vers le soleil, le teint cireux et grisâtre, comme une poupée au visage décharné.

« L'eau, le feu », songea Henri en essayant de trouver une quelconque logique à ces évènements tragiques.

Mais il était trop épuisé pour réfléchir.

Il se leva en ayant l'impression de ne pas avoir dormi depuis une éternité.

Vingt minutes plus tard, le standardiste reçut un second appel concernant les disparitions des deux jeunes filles. Cette fois-ci il n'osa pas interrompre la voix masculine qui, à l'autre bout du fil, se mit à lui dicter des instructions. Après avoir raccroché, le gendarme se précipita dans le bureau de l'adjudant mais ne trouva personne (le pauvre était en train de passer un mauvais quart d'heure en compagnie du procureur) et s'adressa donc une nouvelle fois à Henri qui, la tête appuyée sur sa table, tentait de survivre à la tempête qui rugissait dans son crâne.

— Henri ?

— Oui ?

Le standardiste avait le visage aussi blanc que l'écume. Henri observa sa main tremblante lui tendre un morceau de papier.

— Un appel anonyme... Il dit qu'il connaît celui que l'on recherche... Il m'a donné son adresse et son lieu de travail... L'assassin des gamines... Il y a des preuves dans sa voiture...

14

Henri guettait ma réaction tandis qu'une lune bienveillante semblait se moquer de la situation. Les étoiles apparurent les unes après les autres, pixélisant la voûte céleste d'étincelles d'éternité.

— C'est ainsi que vous avez pu interpeller le coupable ?

— Oui, par un appel anonyme qui provenait d'une cabine téléphonique située hors du département.

— Et les preuves furent assez concluantes pour l'inculper et le mettre en détention ?

— Nous avons trouvé le reste des vêtements d'Émilie caché sous le siège passager. Ainsi qu'un jerrican d'essence vide dans le coffre. Sans compter que le suspect a été incapable de nous renseigner sur son emploi du temps. Il nous a raconté qu'il avait fermé le Bois Tordu et qu'ensuite il s'était baladé en voiture puis sur la plage pour profiter du spectacle de la pleine lune.

— Le Bois Tordu ?

— Oui, il s'agit d'Olivier, celui qui gérait le parc de jeux. Un gamin de Saint-Hilaire. À l'époque, il avait tout juste dix-huit ans.

— Je l'ai connu, dis-je en me souvenant avec nostalgie de celui qui nous avait fait découvrir nos premières bornes d'arcade.

— Moi aussi. Nous étions au lycée ensemble.

— Merde, je ne l'imagine pas… Il n'y a aucun doute ?

— Mon adjudant, le procureur et les juges n'en ont eu aucun. Il a été incarcéré et purge encore sa peine, qui se termine dans six mois.

— Vous n'avez pas l'air d'être d'accord avec ça…, remarquai-je en l'observant souffler sa fumée vers le ciel.

— C'est le moins qu'on puisse dire, affirma-t-il en se tournant vers moi. Je ne peux pas expliquer pourquoi il a été incapable de justifier son emploi du temps, mais je suis persuadé que ce n'est pas lui. Les juges n'ont pas tenu compte d'un détail qui pourtant me paraît sujet à caution.

— Lequel ?

— La veille, Olivier a eu le sentiment d'être suivi, du moins surveillé. Il a raconté qu'en se rendant à sa voiture, après avoir fermé le Bois Tordu, il avait vu une silhouette se cacher sur le parking. Mais bien sûr, il ne possédait aucune preuve. Juste une intuition. Et cela ne pesa guère lourd contre les preuves qui l'accablaient.

— Pourquoi n'a-t-il pas démenti ? S'il était vraiment innocent, il aurait pu prétendre se trouver chez lui ?

— Parce que c'est Olivier, soupira Henri. Incapable de mentir, mal à l'aise avec tout le monde, sauf avec les gamins du Bois Tordu, et puis, il faut l'admettre, sous pression. N'oubliez pas que le spectre du petit Grégory imposait que le coupable soit interpellé rapidement et qu'aucune autre mauvaise publicité ne vienne entacher l'honneur de la justice. Cette phobie fut une constituante importante dans le verdict. Il était le coupable idéal.

Imprécis, hésitant, fragile… L'affaire fut vite classée et oubliée. L'année suivante les touristes revinrent. Ils piétinèrent le sable où le corps de Julie avait été retrouvé. Ils plongèrent et s'amusèrent dans l'océan où les restes d'Émilie reposaient. Cherchez sur internet, il n'y a aucune ligne sur ces évènements. Personne ne s'est plus penché sur ces drames. La ville, la région, tout le monde voulait oublier et surtout personne ne souhaitait que Saint-Hilaire-de-Riez devienne célèbre pour ces crimes. Aucun nuage ne devait voiler le soleil de la Vendée. Olivier, lui, est le seul vestige de ce passé.

— Vous semblez l'apprécier…

— Nous étions amis… et nous le sommes toujours. Je suis le seul à lui rendre visite en prison.

Nous restâmes quelques minutes sans rien ajouter. Les vagues caressèrent ce silence, une litanie douce et continuelle en mémoire aux deux jeunes filles. Et à la possible innocence d'un homme.

— Mais les relevés d'empreintes, d'ADN ?

— Il n'y avait aucune empreinte, déplora Henri. Les gendarmes ont donc supposé qu'il avait utilisé des gants. Et pour ce qui est de l'analyse ADN, elle n'existait tout simplement pas en 1986.

— Une voie sans issue, donc.

— Oui, effectivement.

Je bus une gorgée de mon cognac en essayant de trier le flot d'informations qu'avait apporté la lecture de ce douzième chapitre. Puis je le comparai avec les deux autres. Une théorie se forma immédiatement. J'hésitai à la partager avec Henri. La seule personne en qui j'avais entièrement confiance se trouvait en ce moment même à Paris, loin de toute cette affaire, et ses derniers conseils avaient été de laisser tomber et d'oublier cette histoire. Mais je compris également que je ne pourrais trouver la clef de l'énigme à moi seul. Il y avait trop de détails et de zones d'ombre. Et le temps pressait. Sarah rentrait dans trois jours…

Je me levai pour me resservir un cognac et emportai avec moi un deuxième verre que je tendis à Henri.

— Non merci, toujours pas.

— Trinquez avec moi, Henri, car je pense avoir trouvé pourquoi nous avons reçu tous les trois ces fameuses lettres.

Il me fixa le temps d'évaluer le sérieux (ou la folie) de mon affirmation et accepta finalement le cognac.

— Une cigarette ? me proposa-t-il.

— Avec plaisir.

— Je vous écoute, m'encouragea-t-il après s'être installé dans un fauteuil de la terrasse.

— Le texte que nous avons tous les trois reçu est identique, sauf le chapitre douze.

— Exact.

— Nous pouvons donc en conclure que si indices il y a, ils doivent se cacher précisément dans ce douzième chapitre.

— Sans doute.

— Laissons de côté mon chapitre. Pour moi, ce n'est qu'un poème pour l'instant aussi incompréhensible et vide de sens qu'une équation de mécanique quantique.

— Je n'ai jamais été fan de physique. Ni de poésie. Donc avec plaisir.

— Le texte concernant Samuel nous apprend que le Rouquin se trouvait avec Julie peu de temps avant qu'elle ne disparaisse.

— Le Rouquin ? Encore lui ?

— Oui. Et le vôtre nous décrit la manière dont l'enquête a abouti à l'arrestation d'Olivier. L'appel anonyme, les preuves compromettantes, la pression due au fiasco de l'affaire Grégory… Dois-je continuer ?

— Je vois très bien où vous voulez en venir. Mais dans ce cas-là, pourquoi ne pas simplement écrire « Olivier est innocent, c'est le Rouquin qui les a tuées » ?

— Parce que la personne qui a fait ça se doutait qu'elle devrait gagner notre confiance. Elle devait nous prouver qu'elle savait de quoi elle parlait. Une simple phrase, accusatrice mais sans fondement aurait terminé à la poubelle. Là, non. Chacun de nous a relu ces pages plusieurs fois. Samuel pense que celui qui nous a envoyé ce manuscrit souhaite que l'on ressente de la culpabilité, que l'on prenne conscience de nos erreurs.

— Je le pense également.

— Oui, mais ce n'est pas le plus important du message. Vous dites qu'Olivier doit sortir dans six mois ?

— Oui.

— Et vous ne trouvez pas ça bizarre que l'on reçoive ces feuilles à l'approche de sa libération ?

— Je ne sais pas…

— Mais c'est évident ! Samuel avait tout faux ! Ce n'est pas pour nous rappeler que nous avons été à un moment trop sourd, muet ou aveugle, nous rendant d'une certaine manière coupables de ce qui est arrivé, que nous avons reçu ces textes ! Ces chapitres n'ont pas été écrits pour cela ! C'est encore plus évident avec le fait que vous fassiez partie de l'histoire !

— Je ne vous suis pas, l'écrivain. Que voulez-vous dire ?

— Je vous explique simplement que celui qui a écrit ces pages souhaite que l'on retrouve le véritable coupable, c'est ça, le vrai message !

— Donc le Rouquin ?

— Justement… Les douzièmes chapitres sont cruciaux. Si on devait tirer une conclusion de vos deux chapitres, celui de Samuel et le vôtre, ce serait sans doute celle-ci, que Franck est le véritable coupable et qu'Olivier est innocent.

— Mais ?

— Mais je n'ai toujours pas compris mon douzième chapitre. Et je suis certain que la vérité s'y trouve, en parfaite conclusion des deux autres. Tout sera clair quand je l'aurais déchiffré.

— Alors, pour l'instant, laissons ces pages de côté et essayons de savoir qui peut en être l'expéditeur.

— La première personne qui me vient à l'esprit est Paul Vermont, affirmai-je. Il téléphonait tous les jours à Julie. Elle aurait tout à fait pu lui donner de nombreux détails sur Samuel et moi.

— C'est sans aucun doute quelqu'un qui était proche de vous trois, quelqu'un qui vous surveillait peut-être…

— Attendez… Paul Vermont avait reçu des lettres de menaces car l'usine qui employait les vacanciers de l'avenue des Mouettes allait fermer. Il avait donc demandé au Rouquin de surveiller sa fille afin qu'il ne lui arrive rien. Franck devait certainement épier chaque fait et geste de Julie, donc les nôtres…

— Si c'est le Rouquin qui a écrit ces lettres, votre théorie tombe à l'eau. Il n'écrirait jamais pour se dénoncer. À moins de le vouloir mais dans ce cas il y a des manières bien plus simples de confesser un crime. Votre mère ?

— Décédée d'un cancer.

— Désolé. Votre beau-père ?

— Trop décérébré. Attendez… Mais bien sûr !

— Quoi ? À qui pensez-vous ?

— À une personne qui n'était jamais loin de nous et très proche de Julie. Elles étaient devenues inséparables, m'a même confirmé Paul Vermont lors de notre entretien. Pourquoi n'y ai-je pas pensé plus tôt…

— Qui avez-vous en tête ?

— La gouvernante, Tatie !

Henri m'observa. Longuement. D'un regard éteint qui semblait attendre de moi d'autres paroles afin de s'éclairer. Il me rappela le regard morne et chargé d'incompréhension d'un poisson venant d'être ferré par un hameçon.

— Tatie ? parvint-il à articuler, sceptique.

— Bien sûr ! Julie devait se confier à elle et tout lui raconter… Voilà pourquoi les détails sont si précis. Qui était assez proche de Julie pour savoir que le poète François de Malherbe était l'un des préférés de sa mère ? Qui était assez proche de Julie pour l'entendre parler de ses deux nouveaux amis et lui poser des questions dont les réponses nourriraient son récit des années plus tard ?

— Et pour l'escapade au Bois Tordu, comment l'aurait-elle su ? Elle dormait !

— Par le Rouquin. Il a dû nous suivre aussi cette nuit-là. Elle était parfaitement au courant de la promesse que Franck avait faite à M. Vermont. Tatie devait donc savoir que le Rouquin se trouvait avec Julie avant qu'elle ne disparaisse. Tout comme elle doit savoir que la personne arrêtée n'est pas la bonne.

— Il faut la retrouver, lança Henri en manquant de peu de renverser son verre de cognac.

— Quoi ?

— Tatie. Il faut la retrouver et lui demander dans quel but elle a fait cela.

— Je… j'ignore comment elle s'appelle et où elle habite. Vous ne l'avez pas convoquée lorsque le corps de Julie a été retrouvé ?

— Non. Paul Vermont s'est occupé de tout. Il est arrivé dans l'après-midi pour nous expliquer que sa fille avait disparu durant la nuit. Nous avons immédiatement fait le lien avec le corps brûlé retrouvé sur la plage. Lui aussi a reconnu les vêtements de sa fille. Il est devenu un fantôme en à peine quelques phrases. Un homme peut se briser comme de la porcelaine si on lui enlève son enfant. Et c'est ce que j'ai vu ce jour-là. J'ai vu son âme se craqueler et se transformer en poussière.

— Nous en revenons donc à Paul Vermont. Il est le seul à pouvoir nous en apprendre plus. Et je sais qu'il ne m'a pas tout dit cet après-midi. Une autre visite s'impose.

— Demain matin ? suggéra Henri.

— Si vous n'avez rien de prévu…

— Non, c'est parfait. La seule chose de prévue est de me forcer à boire ce cognac. Cela m'aidera certainement à dormir. Et de passer la nuit ici…

— Ici ?

— Oui. Si le Rouquin ou n'importe qui d'autre décide de vous rendre une nouvelle visite, mieux vaut qu'il tombe sur deux hommes saouls que sur un seul.

On ne sait jamais, le Bang & Olufsen pourrait lui avoir tapé dans l'œil…

— Faites gaffe, vous êtes en train de vous transformer en vrai flic de roman !

15

Franck relut les pages, les yeux rougis par la tristesse et l'incompréhension.

Après avoir visité la maison de David (bon sang, malgré les années, si le Rouquin fermait les yeux, il revoyait ce gamin aux épaules voûtées, et l'envie de donner une bonne leçon à son abruti de beau-père lui démangeait encore les poings), il était retourné à l'hôtel bon marché dans lequel il séjournait depuis plusieurs jours. Assis sur son lit, où sans aucun doute le luminol des *Experts* révélerait une quantité impressionnante de sécrétions diverses, le Rouquin luttait contre sa panique.

Des emballages de biscuits et de barres chocolatées provenant du distributeur de la réception jonchaient le sol qu'il piétinait en faisant les cent pas dans la pièce.

Pourquoi... Pourquoi...

Pourquoi remonter les corps de Julie et d'Émilie à la surface après tant d'années ?

Pourtant, au fond de lui, il connaissait la réponse. Une vérité qu'il refusait d'admettre. Paul Vermont l'avait prévenu, six mois auparavant, quand il était venu lui rendre visite dans le Limousin. Il lui avait prédit ce qui arriverait, que d'une manière ou d'une autre ils ne pourraient pas empêcher les fantômes de parler, et qu'ils parleraient certainement à l'approche de la sortie du « coupable ». « Les gens sauront ce qui s'est réellement produit lors de cet été 1986, le jour où Olivier tournera le dos à la porte métallique de la prison, avait ajouté le patron. Tu devrais disparaître avant que l'on te cherche. Voilà ce que je suis venu te dire ce soir. »

À peine son visiteur reparti, le Rouquin avait paniqué, comme maintenant, dans cette chambre d'hôtel. Il avait préparé deux valises, coupé le gaz et l'électricité, et était sorti en silence dans la nuit, en passant par le jardin car il se doutait – non, il en était persuadé, la voisine passait tout son temps à la fenêtre, même à cette heure-ci – que la vieille pie qui habitait de l'autre côté de la rue serait immédiatement à l'affût si l'éclairage automatique se déclenchait.

Sa première idée fut de partir vers le sud, chez un lointain cousin.

Mais, avant de fuir et de quitter cette région gangrenée par le chômage et les silhouettes d'usines à l'abandon, il voulait retourner là-bas une dernière fois.

Il roula une bonne partie de la nuit. Quatre heures de route jusqu'à Saint-Hilaire. Il se gara dans la rue, à présent vide et abandonnée, de l'ancien quartier fantôme et peina à retrouver les anciens pavillons construits à flanc de plage. Le sable, cet ogre que ni le temps ni le vent ne semblaient fatiguer, avait presque totalement englouti les façades donnant sur l'océan.

La nuit était calme, fraîche, et le bruit des rouleaux au loin le saluait comme un vieil ami retrouvé après une longue absence de trente et un ans. Les autres pavillons, ceux qui se situaient en retrait du front de sable, n'étaient plus que des ruines aux fenêtres éventrées, aux murs maculés d'inscriptions peintes à la bombe par la jeunesse locale et aux tuiles recouvertes de lichens. Il connaissait l'histoire, le patron la lui avait racontée : depuis la fermeture de l'usine, le centre de vacances avait été saisi puis mis en vente par la collectivité. Un repreneur s'était manifesté dans les premiers mois mais avait fait machine arrière face au coût réel qu'entraînerait son projet de réhabiliter l'ensemble. Puis un second acheteur potentiel hollandais s'était penché sur le dossier, dans le but de raser le complexe pour en construire un nouveau. Les contrats furent signés mais là encore l'affaire capota à cause d'obscurs vices de forme. Depuis, la société installée à Amsterdam se battait contre la mairie et la région vendéenne et exigeait des indemnités « d'immobilisation » que la commune était incapable de régler.

Pendant ce temps, les pavillons de l'avenue des Mouettes se décrépirent sans que quiconque y prêtât attention. Et ce lieu, autrefois ivre de vie, devint aussi muet et ignoré qu'un cimetière.

Franck marcha à travers les allées envahies par la végétation. Malgré le temps, il aurait pu se diriger dans ce dédale les yeux fermés. Il arriva face à l'ancienne maison du patron. Trois façades demeuraient toujours droites mais la quatrième, du moins la partie basse qui avait survécu à l'incendie, penchait dangereusement vers le centre, comme aspirée par une force venant de l'intérieur de la bâtisse. Toutes les ouvertures avaient été éventrées et la toiture qui avait en partie brûlé à l'époque n'était plus qu'un lointain souvenir.

Immobile derrière la grille, le Rouquin observa l'imposante poutre transversale qui perçait des décombres comme un os brisé sortant d'une plaie ouverte. Une grimace de douleur (de peine, de tristesse, de souffrances étouffées…) se dessina sur son visage : des petits malins y avaient accroché une corde plombée d'un nœud coulant. Il imagina alors les gamins du coin venir s'injecter leur dose de sensations fortes en visitant la « maison de la pendue ». Des lettres de Scrabble étalées pour entrer en contact. D'imaginaires murmures revendiqués d'outre-tombe en guise d'apothéose. Des « vas-y, pas cap de passer ton cou dans la corde comme cette vieille folle »…

Un long soupir s'échappa de son âme torturée.

L'idée d'aller retirer cette offense lui traversa l'esprit. Mais il se doutait que la corde serait rapidement remplacée. Cette maison était devenue le mausolée d'un fantôme qui appartenait à tous les crétins du coin. D'ailleurs, c'était inscrit en graffiti sur le mur de l'entrée : *Maison hanté. Toucher la corde si vous osé !*

— Bande d'ignares ! cracha-t-il, aussi bien en direction de leur orthographe approximative que de leur manque de respect.

Franck ferma les yeux. Il aurait tant aimé s'excuser auprès d'Éléonore comme il l'avait fait auprès de M. Vermont. Lui raconter comment sa promesse l'avait dépassé au point de ne plus pouvoir réfléchir. Il aurait tant aimé lui raconter ce qu'il n'avait dit qu'à une seule personne, son mari. Comment une fois il n'avait pas tenu sa promesse et quel prix il l'avait payé.

Ce qu'il regrettait chaque jour depuis son enfance.

Mais c'était trop tard.

Ainsi, il fit demi-tour, démarra sa voiture et disparut dans le sud de la France.

Bien plus tard, environ cinq mois après son installation chez son cousin, un lavandier des Alpes-de-Haute-Provence, un courrier anonyme lui parvint.

En la lisant, il se souvint des lettres de menaces que le beau-père de David et sa bande avaient envoyées au patron. Mais celle-ci ne manifestait aucune violence. Juste une terrible réalité : « Le patron est malade. Il ne lui reste que quelques mois. Il serait temps de lui dire au revoir. »

Alors il avait fait le chemin en sens inverse et s'était garé en face d'une maison modeste, avenue de la Corniche, à Saint-Hilaire-de-Riez. Mais au moment où il ouvrait la portière de son véhicule, il vit une silhouette sortir de chez M. Vermont. Une silhouette qu'il n'eut aucun mal à reconnaître. Et sa présence ici n'augurait rien de bon. Il décida de la suivre, juste une petite heure et d'ensuite s'en retourner saluer le seul ami qu'il avait jamais eu. C'est ainsi qu'il vit la silhouette déposer sur le perron d'une propriété aux grilles ouvertes une large enveloppe marron. Puis une autre, dans une boîte aux lettres située dans le hall d'un immeuble.

Et depuis, il se terrait dans cet hôtel miteux à essayer de comprendre.

Franck tenta de se calmer.

Personne ne croira cette version. La justice ne voudra pas se compromettre en rouvrant une enquête qu'elle aurait elle-même trop rapidement bouclée. Calme-toi. Au pire tu auras le temps de t'enfuir…

Le Rouquin cessa d'arpenter la chambre et s'assit sur le rebord du lit. Quelques minutes auparavant, il avait reçu un appel de Paul Vermont.

— Un certain David est passé me voir. Je pense que tu le connais.

— Oui.

— Il est très proche de la vérité. S'il n'est pas trop stupide, et il ne me semble pas que ce soit le cas, il va bientôt tout comprendre.

— Je… je ne suis pas prêt, patron…

— Nous savions tous les deux que ce jour arriverait… Nous avons été assez fous pour croire que le secret resterait enfoui pour toujours.

— Il y a peut-être une autre solution… J'ai récupéré le manuscrit chez lui, je peux faire de même avec les deux autres.

— Les deux autres ?

— Oui, il est écrit que les pages ont été envoyées à trois personnes. Il y a même un poème, et il me semble l'avoir déjà entendu, votre femme…

— Bon sang, nous devons nous préparer. Tu ne peux pas empêcher la vérité d'éclater. Il est trop tard.

— Patron, j'ai fait de mon mieux cette nuit-là… J'ai fait de mon mieux.

— Oui. Mais tu as été trop loin. Et ce n'est pas cette promesse-là que nous nous étions faite…

Puis il n'y eut plus personne au bout de fil. Le patron venait de raccrocher, parfaitement conscient de l'impact qu'aurait cette dernière phrase sur Franck.

Celui-ci hurla de colère en jetant le téléphone de la chambre contre le mur. Il se boucha les oreilles pour ne pas entendre les voix des fantômes du passé qui déjà s'intensifiaient dans sa tête…

« Tu peux me donner la main pour traverser la route, Franck ? Tu me donnes ta main ?

— Non, Jérôme, tu es assez grand maintenant.

— Alors on fait une course ! »

16

Le lendemain matin, je me réveillai vers 11 heures.

Henri avait dormi dans une de nos chambres d'amis, au rez-de-chaussée. Lorsque je descendis les escaliers, je l'entendis ouvrir et fermer les nombreux placards de la cuisine.

— Il devrait bien y avoir des filtres à café, le Rouquin n'est tout de même pas parti avec ! marmonnait-il.

Malgré les verres de cognac, malgré les mille et une questions qui résonnaient dans ma tête, je m'étais endormi avec une facilité surprenante. Ma nuit n'avait été ponctuée d'aucun cauchemar ni de réveil en sursaut.

Pas de pendue, de pirates piégés au fond des mers.

Aucun visage zébré d'une cicatrice.

Ni de corps calciné ou noyé.

Rien.

Juste une nuit calme et réparatrice.

Aussi improbable que des filtres à café rangés derrière des céréales.

— Dans le placard de gauche, derrière la boîte de muesli, lançai-je en faisant irruption dans la pièce. Ne me demandez pas pourquoi, Sarah possède sa propre logique en ce qui concerne l'organisation de la cuisine.

— Plutôt fort ou léger ? sourit Henri en plaçant le filtre dans la machine.

— Fort m'ira très bien. Vous avez bien dormi ?

— Comme un bébé ! Hormis ce léger mal de tête dû à votre entêtement à me faire boire… J'ai fait le tour hier soir pour fermer les portes mais je ne suis pas parvenu à actionner le portail.

— Hum… Problème électrique, éludai-je avec l'assurance d'un bricoleur averti qui se serait réellement penché sur le sujet.

Je m'assis et attendis que la cafetière libère son liquide.

— Et voilà, sans gouttes autour, comme expliqué dans le texte !

— Vous m'épatez, le gendarme.

— Je ne suis plus…

— Je sais, je sais… Mais pour une partie de moi vous êtes toujours ce gendarme qui a frappé à la porte de notre pavillon un matin d'août.

— Je comprends. Nous sommes tous les deux une partie de ce que nous avons laissé sur la plage, approuva-t-il, pensif. Cette scène a réellement existé ?

— Celle où vous êtes venu ?

— Non, celle de votre bol préféré.

— Oui. Pour de vrai.

Nous demeurâmes silencieux et ce mutisme n'imposa aucune gêne. Nous étions deux naufragés s'agrippant à une planche, nous fiant au ressac qui nous baladait entre le passé et le présent, ne sachant exactement à quel moment nous toucherions terre.

— J'ai rencontré votre voisine ce matin alors que je fumais une cigarette sur la terrasse.

— Ma voisine ?

— Oui, la dame avec le chien. Elle m'a salué de loin.

— Et vous... vous lui avez répondu ?

— Oui. J'ai fait un geste de la main, comme ça.

Je le regardai mimer un salut de sa main droite.

Je sentis une pointe de jalousie m'envahir. Un peu comme celle qui m'avait étreint à l'agence hier alors que Jean appelait Sarah d'une manière trop familière.

La vieille dame.

J'en avais oublié son existence. Sans doute l'avait-elle confondu avec moi. À cette distance, il était difficile de reconnaître quelqu'un. Mais Henri avait réalisé ce que j'avais été incapable de faire depuis des semaines. Ce moment nous appartenait, m'étais-je stupidement persuadé en assistant assidûment au passage de cette femme sur la plage. Et comme un adolescent attend le moment propice pour embrasser sa première petite copine, j'avais repoussé chaque jour le fait de la saluer. « Tu t'enrichis dans la stagnation physique et sociale, m'aurait répété Sarah en voyant ma mine déconfite. Je te l'avais dit, je ferais mieux de me taper un type comme Jean, lui m'aurait déjà emmenée sur l'île d'Yeu depuis longtemps... Oh, et ce regard triste, comme si on t'avait volé un moment précieux... Pauvre petit bonhomme, la madame l'a salué, lui, et pas toi... »

— David, ça va ?

— Euh... oui, je pensais à autre chose, désolé.

Je chassai les critiques imaginaires de ma femme (Jean resta cependant un long moment dans une partie de mon esprit, à sourire stupidement dans son coin...) et avalai une gorgée de café.

— Je suis d'accord avec vous, l'écrivain, admit Henri. J'y ai réfléchi une bonne partie de la matinée.

Tatie est certainement l'auteure de ces pages. Nous devons la retrouver et lui demander si c'est bien la vérité qui figure dans le douzième chapitre de Samuel. Si c'est bien le Rouquin qui a tué Julie.

— Vous réagissez comme un vrai flic, m'amusai-je en allumant une cigarette. (*Penser à aérer la maison trois bonnes heures avant que Sarah ne rentre*, notai-je au couteau sur le visage surpris et sanguinolent de Jean.) Laissez-moi prendre une douche et téléphoner à Samuel pour le mettre au courant des dernières avancées. Il va tenter de me persuader que tout cela n'est qu'une perte de temps, mais au moins il ne pourra pas me reprocher de ne lui avoir rien dit.

Une demi-heure plus tard, douché, rasé, revigoré, je raccrochai d'avec Samuel. Bien entendu, j'avais eu droit au désormais célèbre « c'est du passé, laisse tomber », mais j'avais deviné une pointe d'intérêt lorsque j'avais évoqué la présence du Rouquin dans la région.

— David, inutile de te dire que ce type pourrait être dangereux…

— Je sais mais rassure-toi, Henri semble taillé pour la mission, un vrai pro, mentis-je pour que mon ami ne s'inquiète pas plus que nécessaire. De toute manière, je ne pense pas qu'il remette les pieds ici. Il a trouvé ce qu'il cherchait.

— Tatie… Pourquoi n'avons-nous pas tout de suite pensé à elle ?

— Parce qu'elle a toujours été suffisamment discrète, répliquai-je en réfléchissant au nombre de fois où Julie, Samuel et moi, assis sur la plage et immergés dans notre amitié, avions oublié la présence de celle qui se trouvait pourtant à quelques mètres de nous seulement.

— C'est vrai... Écoute, un dernier conseil : si le Rouquin revient ou si tu as l'impression que l'affaire devient... compliquée, John McClane et toi vous foncez chez les flics, OK ?

— OK.

Après une vingtaine de minutes de route, nous nous garâmes devant la maison de M. Vermont. Nous n'avions pas établi de plan précis. Je parlerais tandis qu'Henri observerait le vieil homme pour juger de sa bonne foi.

Nous toquâmes une seule fois avant que la porte ne s'ouvre, comme si nous étions attendus, comme si le vieil homme se tenait derrière la porte à guetter notre arrivée. Avant de suivre Henri et de m'engouffrer à mon tour dans la maison, j'eus la désagréable impression d'être observé.

Je ne pensais pas simplement que quelqu'un m'observait.

Je le *sentais*.

Comme une main invisible posée sur mon épaule.

Je me retournai pour comprendre d'où cette sensation pouvait provenir. Je portai mon regard de l'autre côté de la route surchauffée, en direction de la plage, mais n'y découvris rien d'anormal. Le flot de touristes défilait comme n'importe quel autre jour. Des corps rougis par le soleil agressif, penchés en avant, maudissant la température du sable qui leur brûlait la plante des pieds, progressant avec difficulté dans ce paysage qu'ils auraient souhaité lunaire mais qu'ils devaient cependant partager avec des centaines de congénères.

Et puis les enfants. Auréolés de ballons, de cerfs-volants et de lumière. Ces enfants que les parents observaient du coin de l'œil, ignorant très certainement que jadis deux jeunes filles avaient couru le long de cette même plage sans jamais pouvoir en repartir… *Les rayons du soleil cherchent-ils ces deux petits corps que la lune a été incapable de surveiller,* me demandai-je en observant des gamins plonger dans la mer scintillante, *ou sommes-nous les seuls avec Henri à nous en préoccuper ?*

17

À l'abri derrière une cabine de plage, Franck observa David et son mystérieux compagnon suivre M. Vermont à l'intérieur de la maison.

L'avertissement d'hier n'avait pas suffi. Le « gamin » était revenu poser des questions, accompagné en plus.

Il faudrait donc passer à la vitesse supérieure.

Leur ordonner de laisser tomber toute cette histoire.

Le Rouquin jeta une œillade en direction du fusil de chasse confortablement installé dans sa housse, sur la banquette arrière.

Il ignorait s'il allait s'en servir. Cette probabilité ne l'effrayait nullement. Après tout, il avait déjà tué pour noyer la vérité.

— Installez-vous, je vous en prie.

Paul Vermont ne semblait pas surpris de me revoir. Je le soupçonnais d'avoir volontairement éludé suffisamment de questions lors de ma première venue pour s'assurer de ce deuxième passage. J'eus la désagréable sensation de ne pas être ici par ma propre volonté mais plutôt par la sienne, d'être la pièce que l'on déplace sur un échiquier plutôt que le joueur.

Depuis le mur, le portrait d'Éléonore nous observait. Je le trouvai différent. Plus sombre. Plus malfaisant.

Plus impénétrable que la veille. Peut-être que la semi-obscurité dans laquelle nous étions plongés (les volets de la pièce toujours clos, tandis que la maigre lumière émise par le plafonnier ne diffusait qu'une clarté spectrale) en était la cause. L'atmosphère de la maison évoquait plus celle d'un mausolée poussiéreux que celle d'un endroit conçu pour les vivants.

— C'est Mme Vermont qui l'a peint juste avant son suicide, précisai-je en direction d'Henri qui, tout comme moi la veille, paraissait hypnotisé par le tableau.

— Pas très joyeux, remarqua celui-ci, même plutôt lugubre.

— En effet, rétorquai-je, me demandant si Éléonore avait alors déjà pris la décision de se pendre.

Dix minutes plus tard, Paul Vermont revint de la cuisine, chargé d'un plateau. Sa démarche était lente et hésitante mais le vieil homme refusa notre aide lorsque nous la lui proposâmes. Je m'attendais à le voir chavirer à tout instant, emporté par le poids de sa charge, mais son corps squelettique arriva à bon port et déposa le tout sur la table.

— Je suis surpris de vous revoir, avoua-t-il en me tendant une tasse de café. Je pensais que nous nous étions tout dit.

— Il y a encore quelques zones d'ombre, dis-je en voulant éviter d'acculer le vieil homme. Et nous sommes certains que vos réponses les éclairciront.

— Et qui est ce « nous », demanda-t-il en se tournant vers Henri. J'ai l'impression de vous avoir déjà vu…

— C'est exact, monsieur Vermont, j'étais gendarme à l'époque du drame, c'est moi qui ai découvert le corps de votre fille.

— Ah… Et vous n'êtes plus dans la profession ?

— Non, répondit Henri, l'air gêné, n'osant avouer que la mort de Julie avait pour beaucoup pesé dans la balance.

Cette réponse sembla soulager le vieil homme. L'horloge poussiéreuse tinta discrètement. Le patron marcha jusqu'à la table basse et saisit le pilulier bleu qui s'y trouvait. Il revint s'asseoir en poussant des gémissements et entreprit de compter sa minutieuse posologie. Je compris à cet instant que l'ancien propriétaire des pavillons de l'avenue des Mouettes n'était pas seulement malade mais mourant. Ses yeux avaient perdu leur couleur originelle et il me fut impossible de deviner quelle avait été leur nuance du temps où lui et sa femme étaient encore heureux. Son crâne dégarni me sembla aussi mince et fragile qu'une fontanelle de nouveau-né tandis que ses poignets décharnés n'étaient guère plus que des os menaçant de se briser à chaque mouvement.

— De quoi souffrez-vous, monsieur Vermont ? intervint Henri, que je soupçonnai d'avoir lu dans mes pensées.

— Du temps. Du passé. Des souvenirs. Et aussi d'une maladie beaucoup trop avancée pour être soignée. Ces pilules sont des retardateurs, rien de plus.

Nous respectâmes sa décision de ne pas nommer son mal. Nous le regardâmes avaler ses médicaments en silence. Je me souvins alors de l'homme qui, à chaque fête de Noël, offrait des cadeaux aux enfants des salariés. Tous les ans, l'ensemble des familles était accueilli dans l'usine qui, pour l'occasion, était décorée de nombreuses guirlandes et de sapins colorés. Le patron saluait chaque enfant avec un sourire sincère et lui remettait un paquet d'une taille souvent plus importante que ceux que nos propres parents pouvaient se permettre de nous offrir. Nous regardions alors avec admiration cet adulte qui se tenait droit et que l'on croyait aussi solide et indestructible que la grande cheminée d'où s'évacuaient les fumées de Vermont Sidérurgie.

Une fois le dernier « retardateur » englouti, Paul ferma longuement les yeux. Lorsqu'il les rouvrit, ce fut pour les diriger vers Éléonore. Il lui adressa un sourire puis son regard se perdit à l'intérieur du portrait pour n'en ressortir qu'une minute plus tard, déjà voilé par l'effet des drogues. Nous comprîmes que les médicaments ne tarderaient pas à maquiller le jour en nuit car ses paupières s'étaient abaissées de quelques millimètres, comme un rideau indiquant la fin prochaine du spectacle. Avait-il volontairement attendu que nous soyons face à lui pour prendre ses médicaments et fuir nos questions ? Sans doute.

Je pris alors la parole.

— Monsieur Vermont, je vous ai menti hier. Je ne suis pas venu simplement parce que des souvenirs remontent à la surface de ma mémoire. Quelqu'un les a fait remonter. On nous a écrit un texte sur ce triste été 1986. Et il semble que le meurtrier ne soit pas celui que la justice a mis en prison à cette époque.

Henri parut surpris par cette approche franche. Mais bientôt le vieil homme ne serait plus en mesure de répondre correctement à nos questions. Je ne pouvais perdre un temps précieux en m'encombrant de formules de politesse.

— Je sais tout ça, mon garçon, avoua-t-il en me souriant avec difficulté.

— Vous êtes au courant pour le manuscrit ? m'étonnai-je

— Oui. Mais j'ignorais que vous n'étiez pas le seul à l'avoir reçu.

— Pourquoi ne m'avez-vous rien dit ?

— Pourquoi vous aurais-je dit quoi que ce soit ? C'est vous qui êtes venu ici avec des questions. Vous savez, à mon âge, on se fiche complètement des questions ou des réponses. On se contente d'attendre et d'observer. Mais je vous ai donné un conseil précieux que vous semblez ne pas vouloir écouter.

— Un conseil ?

— Oui. Je vous ai dit de ne pas écouter les murmures du passé, d'ignorer tous ces souvenirs qui reviennent à vous.

— Mais de quels murmures parlez-vous ? Ne me sortez pas encore cette histoire de fantômes…

— Des murmures qui se trouvent entre les lignes. De tous ces souvenirs apportés par le vent.

— Je ne comprends pas…

— Vous n'avez pas simplement reçu un texte. On vous a déposé bien plus que cela. Les mots ont été écrits par quelqu'un de vivant. Mais ce sont les fantômes qui vous parlent.

— Je vous ai déjà dit que je ne croyais pas aux fantômes…

— Oh si, vous y croyez. Vous attendez simplement d'en voir un pour l'admettre.

— Non, je ne…

— Ce n'est pas Alzheimer qui a tué Éléonore, ce sont les souvenirs.

— Par… pardon ?

— Ma femme ne s'est pas suicidée à cause de la maladie. Elle s'est pendue à cause des voix qui la tourmentaient et murmuraient à son esprit durant l'été. Ce sont les souvenirs qui l'ont tuée, leurs murmures, leurs fantômes. Les souvenirs sont très dangereux pour quelqu'un qui les perd lentement car lorsqu'ils reviennent – lorsqu'ils apparaissaient à l'esprit de ma femme –, on sait que l'on risque de ne plus jamais les retrouver. Enfant, Éléonore avait passé toutes ses vacances d'été ici. Tous ses plus beaux souvenirs avaient pour cadre cette plage. Elle adorait également les récits de pirates.

— Les pirates noyés et à jamais prisonniers de l'épave de leur bateau…, murmurai-je en repensant à l'histoire que le frère de Samuel nous racontait pour nous effrayer.

— C'est exact. Alzheimer est une maladie vicieuse. Ce n'est pas quand elle vous serre dans ses bras qu'elle est douloureuse, mais quand elle vous relâche. Ma femme n'entendait les murmures du passé que lorsque sa maladie desserrait son étreinte. Durant ces moments de pleine conscience, elle se souvenait de la jeune fille qu'elle avait été et des récits de pirates qu'elle lisait. Puis, quand la maladie noyait son esprit, ces souvenirs qu'elle ne comprenait plus se transformaient en voix échappées de l'océan. C'est pour cela qu'elle a noué une corde. C'est pour garder ses souvenirs intacts qu'elle s'est tuée. Pour les préserver de la maladie. Alors comprenez-vous à présent lorsque je vous dis qu'écouter les murmures du passé peut être dangereux ?

Henri ne disait rien. Il se contentait d'écouter, comme nous l'avions convenu, mais pas simplement. Je le sentais absorbé par les paroles du vieillard. Ses yeux dansaient entre notre hôte et le portrait de sa femme comme suivant un fil invisible. Je compris que l'ancien gendarme avait cru dans sa jeunesse à la légende de la pendue. Sans doute y croyait-il encore. Julie et Olivier n'étaient peut-être pas l'unique raison de sa démission. Croire aux fantômes ne s'accordait sans doute nullement avec la philosophie pragmatique de la gendarmerie.

— Monsieur Vermont… Est-ce vous qui avez écrit ce texte ?

— Non, mon garçon.

— C'est Tatie, n'est-ce pas ? demanda doucement Henri.

Les yeux du patron tressaillirent. Ce soubresaut de vie ne dura peut-être qu'un dixième de seconde mais il eut le mérite d'exister. Et de confirmer que nous avions vu juste.

— Pourquoi ? Connaît-elle la véritable identité du tueur ? Et si Franck était le véritable assassin de votre fille ? lançai-je.

— Vous m'excuserez mais les médicaments commencent à faire effet. Je crains de devoir écourter cette discussion.

— Pourquoi n'a-t-elle pas simplement indiqué son nom au lieu de romancer son accusation ?

— Parfois, le simple fait de nommer la vérité ne suffit pas. Il faut la démontrer. Pousser l'autre à la comprendre afin de pouvoir la rendre irréfutable. Celui ou celle qui a écrit ces pages veut que vous compreniez l'ensemble avant de n'en sortir qu'un nom. C'est la seule solution pour rétablir la vérité.

— Dans ce cas, à quoi bon transmettre un poème indéchiffrable ?

— Le poème que vous m'avez récité hier ? C'est celui-ci dont vous parlez ?

— Oui. Dans chaque manuscrit le douzième chapitre est crucial. Et ce poème est mon douzième chapitre.

— David, je pourrais vous dire que c'est Franck qui a tué ma fille. Mais je pourrais également assurer que c'est votre mère qui a craqué l'allumette qui a enflammé son corps… Ou bien votre beau-père. Chacun à sa manière est coupable. La seule vérité est celle cachée dans les quelques vers que vous ne comprenez pas encore. Relisez-les. Cherchez-y les morts. Mais aussi les vivants. Si vous tenez à ce point à connaître la vérité, dans ce cas, vous devrez croire aux fantômes. Il n'y a aucune autre solution.

TROISIÈME PARTIE

Murmures de la folie

« L'assassin n'est pas obligatoirement celui qui tue. C'est aussi celui qui l'y encourage. »

Août 1986

« Monsieur Vermont… il s'est passé quelque chose de terrible… »

Paul Vermont était paralysé. Dans le combiné, en arrière-fond, il pouvait entendre les vagues se débattre furieusement dans leur lit. Comme en prise à un cauchemar. Ou plutôt, comme meurtries elles aussi par la présence de ce corps d'enfant allongé sur la plage, s'élançant de toutes leurs forces pour le ramener vers elles, pour gommer cette anomalie qui ne devrait jamais apparaître sur une plage ou ailleurs.

— Que… que voulez-vous dire, Franck ?

Sans s'en rendre compte, il venait de s'asseoir sur le fauteuil en acajou placé à côté du téléphone. Il avait mis un certain temps à formuler sa question. Il ne voulait pas prononcer ces mots. Il s'en voulait d'ailleurs de l'avoir fait. Tout comme il regretta soudainement d'avoir accepté que Julie se rende auprès de sa mère.

— S'il te plaît, papa, laisse-moi voir l'endroit où elle était si heureuse. Laisse-moi revoir la maison de maman…

— À une condition, ma chérie.

— Laquelle ?

— Que Franck t'accompagne.

— Franck ? Celui avec la cicatrice ? s'étonna Julie.

— Oui. Il veillera sur toi. Et si un jour il te dit qu'il est temps de partir, tu ne poses aucune question et tu le suis.

— Il me fait peur, avoua-t-elle en baissant le regard.

— Tu n'as rien à craindre, la rassura son père.

— Comment il l'a eue, cette cicatrice ?

— C'est une terrible histoire, Julie, je ne suis pas certain que…

— Allez ! S'il te plaît !

Comme d'habitude lorsqu'elle souhaitait très fort quelque chose – fût-ce une nouvelle robe, inviter une amie à dormir ou se rendre au dernier endroit que sa mère ait visité –, Julie fixa Paul de ses yeux verts durant un long moment. Sa tête légèrement inclinée, affichant la mine triste et suppliante de quelqu'un à qui on aurait déjà dit non, la jeune fille savait que son père craquait presque à chaque fois (*alors pour une simple histoire, cela ne devrait pas prendre beaucoup de temps*).

Et ce fut le cas. Il se pencha vers elle et lui déposa un baiser sur le front avant de lui murmurer à l'oreille :

— Pour faire simple, lorsqu'il était enfant, il n'a pas tenu la promesse qu'il avait faite. Et quelqu'un l'a puni pour cela.

— C'est tout ? déplora-t-elle. Une cicatrice à cause d'une promesse ?

— Oui ma chérie, c'est tout ce que tu peux entendre à ton âge. Et pas la peine de reprendre tes airs de chien battu, je ne t'en dirai pas davantage.

Paul Vermont lui sourit en se redressant. Sa fille était têtue (elle tenait cela d'Éléonore, la femme la plus têtue qu'il ait jamais rencontrée) et elle reviendrait un jour ou l'autre avec de nombreuses questions sur cette cicatrice, c'était certain. Mais elle était bien trop jeune pour entendre ce genre de récit.

Bien sûr que ce n'était pas aussi simple.

Aucune tragédie ne l'est.

— Il me fait trop peur, je ne serai pas à l'aise, renchérit Julie.

— Dans ce cas, coupons la poire en deux : Tatie t'accompagnera, mais Franck ne sera jamais très loin. D'accord ?

— D'accord, papa. Tu es le meilleur. Et regarde !

— Qu'y a-t-il ?

— On dirait que le portrait de maman sourit lui aussi. Je suis certaine qu'elle adore notre plan.

— J'en suis persuadé aussi.

— Franck, que voulez-vous dire ? hurla-t-il, en maudissant les sanglots qu'il percevait dans l'écouteur.

Malherbe avait été tiré de son sommeil par la voix de son maître. Il arriva à ses pieds, les oreilles basses, et s'allongea à quelques centimètres de Paul.

— Elles sont mortes, patron, je les ai tuées toutes les deux ! lança alors le Rouquin, dont le cri de douleur enveloppa M. Vermont jusqu'à l'abasourdir.

— Co… comment ça, « elles » sont mortes ? Franck ? Que se passe-t-il, bon sang ?

— J'ai essayé de la protéger… Mais ils ont brûlé la maison et ils voulaient s'en prendre à elle… Je n'avais pas le choix…

— Où est Julie ? demanda Paul d'une voix faussement calme.

— Elle a rejoint Émilie, patron. Ce sont deux fantômes à présent.

— Émilie ? Dis-moi où tu es, je pars tout de suite… Dis-moi où est Julie !

— C'est inutile, je vais rentrer, je vais tout vous expliquer…

— QU'AS-TU FAIT À MON BÉBÉ ?

Il n'y eut plus personne à l'autre bout du fil.

Le Rouquin venait de raccrocher.

Paul Vermont composa le numéro du pavillon où Tatie et Julie s'étaient installées. Ses mains tremblaient. Des larmes roulaient le long de ses joues. Ses lèvres grimaçaient de douleur et d'incompréhension. Des murmures de déni parvenaient cependant à s'en échapper. *Non, c'est une erreur, j'ai mal compris, Julie va bien, elle a rencontré une amie, Émilie, oui, c'est ça, j'ai mal compris, à cause du cauchemar, c'est à cause du cauchemar que j'ai fait…*

Mais personne ne répondit. Il arracha alors le téléphone de son socle et le jeta contre le mur de la pièce en poussant un cri de rage. L'appareil s'écrasa avec force à quelques centimètres du portrait d'Éléonore avant de retomber lourdement sur le sol. Le cadran rotatif se désolidarisa du squelette en plastique et roula à travers le salon.

— Tu es heureuse maintenant ? cracha Paul en direction de sa femme. Ils te disent quoi, tes murmures, à présent ? Hein ? Que tu vas bientôt retrouver ta fille ? Elles te disent quoi, tes putains de voix, Éléonore ?

Il se dressa face à elle et la fixa de ses yeux rougis par la folie. L'homme d'habitude si droit et distingué s'était transformé en dément.

— Tout est venu de toi ! Tout a commencé le jour où tu m'as confié avoir entendu des voix ! Tu te souviens ? Durant notre deuxième été aux Mouettes ? Peu après, les contrats se sont faits plus rares, tout comme tes moments de lucidité. Les employés ont commencé à me regarder de travers. Et tu nous as abandonnés. Tu as placé ce cou que j'embrassais si souvent dans un nœud et tu es partie retrouver tes murmures. Ensuite, les difficultés à l'usine se sont aggravées. Et maintenant… Ne pouvais-tu donc pas être une déesse protectrice pour les morts *et* pour les vivants, Éléonore ?

Quatre heures plus tard, après que son corps eut retrouvé l'énergie nécessaire pour se relever du sol où il s'était laissé choir, Paul Vermont vit deux faisceaux jaunes transpercer l'obscurité de la nuit. La voiture se gara dans l'allée gravillonnée, une portière claqua et les cailloux crissèrent sous les pas du visiteur. Le patron quitta le sol pour se diriger vers le cellier et l'armoire à fusil. Il entendit des coups légers contre la porte résonner jusqu'à lui. « Viens donc m'expliquer, Franck, viens donc, délirait-il en chargeant les cartouches dans la chambre du canon. Viens donc m'expliquer comment tu n'as pas pu protéger ma fille… »

Il retourna vers le salon, se tapit dans un coin, arme levée en direction de la porte d'entrée, et attendit que la silhouette qui se dessinait à travers la vitre de la porte se décide à entrer. Il y eut quelques coups brefs contre le bois, puis finalement la poignée tourna et la silhouette avança, hésitante face au silence d'une maison vide.

Paul la mit en joue.

Face à lui, le portrait de sa femme brillait dans l'obscurité.

Il crut la voir sourire.

Il crut voir les vagues derrière elle onduler tels des serpents.

Il crut entendre une voix lui intimer de tirer.

Mais ce n'était pas celle d'Éléonore.

C'était la voix de sa fille.

« Tue-le. Fais-lui regretter. »

La voix d'une promesse brisée.

— Monsieur Vermont ? C'est Franck... Je suis rentré...

Il le laissa progresser de quelques mètres encore, suffisamment pour rendre toute retraite impossible. Puis il sortit de sa tanière et pointa son fusil sur le Rouquin qui, le visage aussi blanc et terrorisé qu'un vivant ayant traversé l'arc-en-ciel des morts, leva aussitôt les mains en suppliant :

— Ne faites pas ça, patron, je vais tout vous expliquer, je n'ai pas eu le choix.

1

— Alors ?

Nous venions de quitter Paul Vermont sans être certains de le revoir un jour. Son corps émacié nous avait serré la main avec la force d'un enfant. Sa voix à peine audible nous avait salués avant de refermer la porte avec des gestes lents et imprécis. Chaque minute passée à répondre à nos questions semblait lui avoir coûté des années de vie.

— Son témoignage ne serait pas recevable devant une cour, ironisa Henri en s'installant sur le siège passager.

— Et il n'a rien dit de plus qu'hier, déplorai-je en rejoignant la route. Des fantômes, ce putain de poème…

— Vous oubliez Tatie.

— Oui, c'est vrai. Il ne l'a pas avoué mais je pense que nous sommes sur la bonne voie.

— Il ne reste plus qu'à la trouver. Je suis toujours en contact avec mon ancien adjudant. Peut-être pourrais-je lui poser quelques questions. Et faire une recherche sur la sœur de Mme Vermont afin de remonter jusqu'à cette mystérieuse gouvernante… Je creuserai également un peu plus cette piste de l'eau et du feu. Cela pourrait être lié à un rituel ou quelque chose dans le genre.

— L'eau et le feu ?

— Oui, la dualité. Le feu pour Julie et l'eau pour Émilie. À l'époque, ce détail m'avait intrigué. Puis Olivier a été inculpé…

— C'est une excellente idée, approuvai-je. Je vous remercie pour votre aide, Henri. Je m'excuse d'avoir été si méfiant.

— Avec plaisir, l'écrivain. Je connais une mère qui serait soulagée de savoir son fils innocent.

— Et une justice qui serait bien emmerdée de s'être fait berner de la sorte… Vous êtes certain de vouloir participer à tout cela ?

— J'attends ce moment depuis plus de trente ans.

Je garai le 4×4 juste à côté de la Fiat d'Henri. Je lui proposai un rafraîchissement avant qu'il ne rentre chez lui, ce qu'il accepta volontiers (« pas de cognac, hein ? »). Nous nous installâmes dans la cuisine et bûmes nos verres en silence. Une fatigue soudaine m'envahit, comme portée par le vent marin qui caressait le profil des dunes au-dehors. Henri était lui aussi marqué par les évènements. Des cernes sombres soulignaient ses yeux rougis par la fatigue et le non-sens de toute cette histoire. Malgré cela, sa détermination demeurait intacte. Durant le trajet, il n'avait cessé d'échafauder des théories quant à la manière de remonter jusqu'à Tatie.

— Je sens que nous sommes proches, avouai-je en avalant d'un trait le reste de mon cognac. Le plus étrange est que je ne suis pas certain de vouloir découvrir la vérité,

— Quoi que l'on découvre, ce ne sera pas beau, mais nous devons aller jusqu'au bout. Pour Olivier. Pour

Julie. Pour Émilie. Pour ces âmes innocentes que nous étions à l'époque.

— Et si ma mère était coupable ?

Henri ne sut que répondre à ma remarque. Il avait déjà réfléchi à cette éventualité. À l'époque des faits mais aussi récemment. Peut-être que tous ne s'étaient pas contentés d'envoyer des lettres de menaces.

— J'imagine difficilement votre mère verser de l'essence sur le corps d'une enfant et y mettre le feu, affirma-t-il après une longue réflexion. Nous sommes tous les deux épuisés. Reposons-nous avant de tirer des conclusions que nous pourrions par la suite regretter. Je vais rentrer, prendre quelques heures de repos puis contacter mon ancien supérieur. Concentrons-nous sur Tatie pour l'instant, suggéra Henri en se levant.

— Vous avez raison. Je vais ranger tout ce bordel. Subir la colère de Sarah est bien la dernière chose que je souhaite en ce moment !

— On se revoit demain matin, l'écrivain. Jusque-là, fermez toutes vos portes et branchez l'alarme.

Tandis que je me levais à mon tour pour accompagner Henri et que je l'écoutais me dicter ses consignes, une infime étincelle crépita subitement dans mon esprit.

Puis mourut tout aussi rapidement, à la manière d'une étoile filante.

Je m'immobilisai, fronçant les sourcils, tentant de comprendre ce qui avait déclenché ce minuscule frisson. Je me répétai les dernières paroles entendues. Le stimulus ne pouvait venir que de là. *On se revoit demain matin, l'écrivain. Jusque-là, fermez toutes vos portes et branchez l'alarme.*

Aussitôt, le dernier vers du poème de Malherbe résonna en filigrane derrière les mots d'Henri.

L'espace d'un matin.

Pourquoi ce vers était-il apparu ainsi, comme si une bouche invisible me l'avait soufflé à l'oreille ? Une simple concordance de vocabulaire ?

Je mis de côté cette impression fugace en me promettant de l'analyser une fois seul car Henri, qui se dirigeait vers sa voiture, venait de se retourner, l'air intrigué.

— Au fait, vous écrivez quoi comme bouquins ?

— Des thrillers, répondis-je amusé de rencontrer une personne qui ne m'avait jamais lu.

— Et comment elles se finissent vos histoires ?

— Souvent mal.

— Dans ce cas, je suis heureux de ne pas ressembler à vos héros ! Cela veut dire qu'il y a une chance que tout cela se termine bien ! plaisanta-t-il.

Puis il s'arc-bouta pour glisser sa carcasse longiligne dans l'habitacle de la Fiat. Non, il ne ressemblait nullement aux flics de mes romans qui combattaient le crime à coups de whisky, de cigarettes et de tirs mal maîtrisés. Il ressemblait simplement à un homme fatigué qui se battait depuis trente ans pour essayer de prouver l'innocence d'un ami de lycée. J'eus le sentiment qu'un livre entier pourrait être dédié à son combat. Et pour la première fois depuis mon arrivée dans la région, je ressentis le désir de quitter cette maison d'acier et de verre pour suivre une personne et m'y intéresser. Ce que je me promis de faire quand toute cette histoire serait terminée. *Oui, emmener Sarah sur l'île d'Yeu et partager un bon repas avec Henri. Voilà le programme !* me dis-je en rentrant dans ma « maison d'écrivain ».

Seulement, en quelques secondes ces deux projets furent compromis. Car, tandis que je fermai la porte à double tour et que je me dirigeai vers la baie vitrée du salon, je me retrouvai nez à nez avec le canon d'un fusil de chasse.

Et à son extrémité se tenait, droit et déterminé, le pirate de mon enfance.

2

— Assieds-toi ! m'ordonna Franck.

Je m'exécutai sans quitter du regard l'arme qui me dévisageait. Le Rouquin se rapprocha un peu plus et sa cicatrice me parut beaucoup plus marquée que dans mes souvenirs. Je me concentrai pour chasser la peur qui inondait mes veines et pour calmer le tremblement de mes mains tandis que l'assassin de Julie et d'Émilie s'installait à son tour dans un fauteuil, face à moi. Le round d'observation dura quelques minutes et ne me laissa aucune illusion quant à l'issue du match : je n'avais aucune chance de fuir. Il me faudrait affronter cet homme. Seuls problèmes : je n'avais aucune arme et la peur me paralysait.

— Ma petite visite d'hier n'a pas suffi, déplora le Rouquin.

— Que… qu'est-ce que vous voulez ? arrivai-je à articuler difficilement.

— Je veux simplement que tu oublies, David.

— Pourquoi ?

— Tu le sais, pourquoi, ne joue pas à l'imbécile.

— Parce que vous avez tué Julie et Émilie ? Parce qu'à cause de vous un innocent a passé trente années en prison ?

Le monstre de ma jeunesse sourit légèrement en entendant ces accusations. Jamais un sourire ne m'avait semblé aussi répugnant.

— J'ai fait ce que je devais faire, admit-il.

— Assassiner deux gamines…

— C'est exact. Je comprends que cela puisse te paraître incompréhensible, mais il y avait une raison. Et c'est cette raison qui me pousse après toutes ces années à me trouver ici, devant toi, et à te demander gentiment de tout laisser tomber.

— Gentiment ? ironisai-je en montrant le fusil avec lequel il me tenait en joue.

— C'est au cas où la gentillesse ne suffirait pas.

— Et qu'est-ce que vous allez faire, hein ? Me tuer ? Il vous faudra également tuer Henri, Samuel, M. Vermont… Sans oublier les autres personnes à qui j'en ai parlé…

— Pour M. Vermont, ce ne sera pas nécessaire. Il ne lui reste pas longtemps à vivre. Et pour les « autres personnes » je pense que tu bluffes. À voir le peu de monde qui te rend visite et les rares moments où tu quittes cette maison, tu ne dois pas être adepte des soirées entre potes où l'on se fait des confidences en buvant une bière…

— Allez vous faire foutre !

— Oh… Sujet sensible ? C'est pour ça que cette jolie brune est sortie en colère la semaine dernière ? C'est pour ça, cette étincelle de tristesse dans son regard lorsque je lui ai parlé à l'agence immobilière ?

Je saisis immédiatement la menace feutrée de ces paroles.

— Si vous la touchez, je vous promets que…

— Tu n'es pas en position de promettre quoi que ce soit. Si tu décides d'abandonner tes recherches et de laisser les morts dormir paisiblement, tu n'auras aucune raison de t'inquiéter.

— Que sommes-nous sur le point de découvrir qui vous fasse prendre tant de risques ?

— Un trésor qui devrait rester au fond des mers. Je le répète, le mieux pour tout le monde est que tu oublies. Elles sont mortes, rien ne pourra les faire revenir, ni des incantations ni un texte dans une enveloppe.

— Rien sauf les souvenirs, arguai-je en surveillant le fusil. Et c'est pour ça que ce texte m'a été envoyé par Tatie, pour que je me souvienne et pour que les souvenirs enfouis redeviennent des images, des sons, des odeurs, des murmures…

— Les souvenirs sont assassins, David. Ils obscurcissent l'esprit, ils ralentissent le cœur et fanent les sourires… Te souviens-tu de ton beau-père en train de frapper ta mère puis de diriger son reste de violence sur toi ?

— Oui, mais je me souviens également de Julie et de son visage, du grain de sable collé sur sa peau, de sa voix et de sa joie en découvrant les lumières du Bois Tordu… Et je refuse de la laisser partir une nouvelle fois. Désolé, je n'oublierai plus.

J'ignorais d'où me venait cet élan de courage. J'avais décidé de faire front, de ne pas me cacher comme je l'avais fait gamin quand cet homme me terrorisait au point de traverser une pièce sans lever le nez du sol. Si mon beau-père avait été en face de moi, je l'aurais égorgé. Si ma mère s'était tenue à la place du Rouquin, je lui aurais reproché d'avoir accepté la violence et je l'aurais serrée contre moi en m'excusant de ne pas l'avoir fait plus souvent. Si Julie avait été vivante, je lui aurais avoué mon amour. Et si Éléonore ne s'était pendue, je l'aurais persuadée que les seuls murmures qui comptent sont ceux des vivants.

Bien plus que du courage, mon comportement sonnait comme une révolte dirigée contre moi-même et mes propres erreurs. Et si c'était cette réaction qu'avait espérée Tatie en m'envoyant les chapitres ?

— Aurais-tu la stupidité de croire que je ne suis pas déterminé à te faire entendre raison ?

— Je pense que les monstres ne sont jamais aussi effrayants que dans nos souvenirs d'enfance. Je n'ai plus peur de vous. Je ne suis plus un gamin…

Voilà la dernière phrase que j'ai prononcée…

La dernière avant qu'une détonation assourdissante n'éclate dans la pièce.

Et que, en guise d'ultime pensée, la première strophe du poème n'apparaisse sur mes paupières closes, telle la projection d'un générique sur la toile d'un cinéma :

Mais elle était du monde, où les plus belles choses…

Lorsque je rouvris les yeux, un sifflement régulier courait toujours le long de mes tympans. Une odeur de poudre brûlée emplissait l'air d'une menace passée mais je savais qu'un fusil de chasse se chargeait avec deux cartouches… Devant moi, à l'endroit où se trouvait il y a peu une baie vitrée, ne restait que le vide. Des diamants de verre gisaient sur le sol, miroitant la lumière du soleil, poussant d'ultimes scintillements avant de mourir complètement.

— Putain ! Vous êtes malade ! hurlai-je en me relevant.

— Des cartouches pour la chasse au sanglier. Bruyant mais très efficace… Reste à ta place.

Je me rassis docilement sans quitter des yeux les morceaux de verre étalés sur le sol.

— J'ai toute ton attention, maintenant ?

— Oui.

— Alors voilà ce que nous allons faire : je ne vais pas te tuer. De ton côté, tu vas faire comme si tu n'avais jamais reçu de lettre. Tu vas convaincre tes amis que tout cela n'est qu'une vaste plaisanterie. Ensuite tu reprendras le cours de ta vie, écriras tes bouquins, rendras heureuse ta femme et tout le monde se portera à merveille. Pigé ?

— Elle était au courant ?

— De qui parles-tu ?

— De ma mère. Elle savait que vous alliez la tuer ?

— Tu n'as pas compris ce que je viens de dire ? pesta le Rouquin en s'avançant de quelques centimètres, canon dirigé vers mon visage.

Je lus dans son regard un étrange éclat. Pas de la colère meurtrière. Ni de la folie. Mais de la crainte. Et si je mis quelques instants à comprendre (il n'est pas toujours évident de réfléchir avec un fusil braqué sur soi, essayez un peu), la solution se dessina progressivement jusqu'à devenir évidente : lui aussi luttait contre des fantômes. Il me restait à deviner lesquels.

— Et mon beau-père ? Il vous a aidé à brûler Julie tandis que Fabien noyait Émilie ? Qui de vous a craqué l'allumette qui a incendié la maison d'Éléonore ? Hein ? Si vous voulez que j'oublie, il me faut des réponses sinon des vagues de questions me ramèneront sans cesse vers le rivage de cet été 1986 ! Quel effet ça fait de ne pas tenir sa promesse ?

Cette fois-ci le canon ne se contenta pas de m'observer mais vint se coller contre mon front avec détermination. J'avais vu juste. Peut-être un peu trop car l'index du Rouquin tremblait dangereusement sur la gâchette.

— Tu aurais dû laisser tomber, David. J'ai tenu ma promesse… Quoi que le vieux Vermont t'ait raconté, j'ai tenu ma promesse…

Ainsi le voici, ton point faible, pensai-je en apercevant des larmes dans son regard. Le monstre de mon enfance devint ridiculement humain.

— Votre promesse était de la protéger ! insistai-je en criant comme si Franck se trouvait à l'étage au-dessus. Vous nous avez surveillés, vous nous avez suivis au Bois Tordu et pourtant vous n'avez pas été capable de la protéger ! Putain de merde Franck, quel effet ça fait de ne pas tenir sa promesse ! Des gamines de douze ans, espèce d'enculé, vous avez tué des gamines de douze ans !

J'étais en transe. Je hurlai si fort que ma gorge me brûlait. Je vomissais les questions sans plus me préoccuper de l'arme qui me menaçait ni même des réponses qui pourraient sortir de la bouche torturée de mon bourreau. D'ailleurs, dans ma furie, je m'étais relevé sans même en avoir conscience. À vrai dire, plus rien ne comptait réellement à cet instant.

— Tais-toi ! Tu ne comprends rien !

— Alors, éclairez-moi ! Répondez à mes questions ! Paul Vermont avait confiance en vous, tout comme Julie ! Et pourquoi Émilie ? Un entraînement ? Leur avez-vous promis que tout se passerait bien avant de les assassiner ?

— Ferme-la !

— Quel effet ça fait de ne pas tenir sa promesse, Franck ?

Je le tenais. J'ignorais pourquoi (je ne le comprendrais que plus tard, une fois la complète horreur de toute cette histoire révélée) mais le Rouquin perdait de son assurance et donnait l'impression de vouloir s'enfuir pour ne plus écouter mes questions. Je compris qu'il n'avait plus aucune intention de me tuer. Peut-être ne l'avait-il jamais eue. Alors je répétai une dernière fois la question qui le malmenait depuis plusieurs minutes, certain d'en finir, persuadé que cette phrase détenait bien plus de vérité que les douze chapitres :

— Quel effet ça fait de ne pas tenir sa promesse ?

— Ça tue, avoua le Rouquin, en abaissant son arme. C'est pour cela qu'il est mort. Et c'est pour cela que je les ai tuées.

3

Il ?

Avais-je bien entendu ?

Il ?

Dans aucun des chapitres il n'était question d'un troisième disparu. Mon sang se glaça à l'idée qu'un autre enfant ait eu à subir la folie meurtrière de cet homme. Comment cette troisième victime avait-elle pu échapper au récit de Tatie ?

Franck s'assit dans le fauteuil, tenant toujours, mais de manière détachée et presque absente, le fusil de ses deux mains. Il semblait ne plus être conscient de ma présence.

Comme hypnotisé par le souvenir d'une maison aux volets obscurs.

— Vous avez raison, il est peut-être temps d'en finir…, souffla-t-il en fixant le sol.

Je ne sus si cette phrase m'était adressée ou si elle était dirigée vers les murmures des souvenirs qui l'assaillaient. Je n'osais plus prononcer la moindre parole.

— Tu n'abandonneras pas, hein ?

— Non, il est trop tard à présent, affirmai-je.

— As-tu compris ton douzième chapitre, David ? me demanda alors le Rouquin d'une voix lasse.

— Non, pas encore.

— Alors il me reste encore un peu de temps, souffla Franck, qui me sembla à ce moment aussi épuisé et fragile que M. Vermont.

J'aurais pu tenter de le désarmer. Peut-être y serais-je parvenu. Mais une voix légère m'intima d'attendre, d'écouter ce fantôme, car c'est bien à cela que le monstre de mon enfance ressemblait à présent, un fantôme sur le point de disparaître.

— Raconte-moi ce que décrivent les autres douzièmes chapitres.

— Pourquoi ferais-je cela ?

— Parce que ensuite je te raconterai pourquoi je tiens toujours mes promesses. Et tu comprendras qui est ce « il ».

J'ignore encore pourquoi, mais je le fis. Je pris une profonde inspiration et commençai ma narration. Je ne tenais pas spécialement à ce que l'homme assis en face de moi me mette dans la confidence de ses crimes les plus odieux mais je lui racontai tout ce dont je me souvenais. Il s'amusa d'avoir été surpris par Samuel tout comme il déplora la facilité avec laquelle la justice avait clos l'affaire. Je parlai sans temps mort comme pour me débarrasser le plus rapidement possible de cette histoire et de ses acteurs. Quand j'eus terminé, je remarquai que le fusil ne pointait plus son regard vers moi et qu'il gisait sur le sol comme un objet oublié.

— Tu l'aimais ? me demanda-t-il soudainement.

— Oui.

— Elle aussi, affirma Franck.

— Qu'en savez-vous ?

— Elle me l'a dit. Quand nous étions sur le parking. Elle m'a dit qu'elle ne voulait pas mourir car elle ne te reverrait plus.

— Vous êtes un monstre…

— Je ne le nie pas, répondit calmement le Rouquin. Et je vais te raconter pourquoi j'en suis un. Et pourquoi un jeune garçon me murmure tous les jours de le prendre par la main… À mon tour de te narrer mon « douzième chapitre »…

Le Douzième chapitre

Le balafré

J'avais ton âge lorsque quelqu'un que j'aimais plus que tout est devenu un fantôme.

Nous habitions un appartement très proche de l'usine. Chaque matin je regardais mon père revêtir son bleu de travail et nous ébouriffer les cheveux, à mon frère et moi, avant de disparaître en direction de Vermont Sidérurgie. C'était un homme taciturne qui buvait et qui se servait souvent de sa ceinture pour nous corriger. Mais à chaque fois qu'il le faisait, c'est parce que nous l'avions mérité. Du moins, c'est ce dont on se persuade quand on est enfant. Alors quelques bleus sur les fesses, ce n'était pas grand-chose comparé à la joie de sentir sa main dans nos cheveux.

C'était l'été.

Les vacances.

Tous les jours je gardais Jérôme car ma mère travaillait également et ne pouvait se permettre de prendre des congés à ce moment-là. Chaque matin, avant de partir à son tour, elle nous préparait le repas du midi et déposait sur la table une pièce de cinq francs. Cette pièce, ce minuscule cercle d'argent, était pour nous la promesse du meilleur moment de la journée : celui où le marchand de glaces et son camion sonore se garaient devant notre immeuble. Si mon récit devait prendre fin à cet instant, je dirais alors que j'ai vécu une enfance heureuse. Jérôme et moi passions nos journées à nous amuser dehors, le plus souvent avec un ballon, et les voisins veillaient sur nous de leurs présences invisibles. Ce jour-là, mon père ne dévia pas de son habitude et me répéta de prendre soin de mon frère jusqu'au soir. Il me le faisait promettre. Invariablement. Ce n'était pas une torture psychologique qu'il m'imposait, mais je pense que c'était là la meilleure manière pour lui de partir au travail sans s'inquiéter de toute la journée. Il avait besoin d'être rassuré bien plus que d'être écouté, et à la longue, cette simple phrase – « tu me promets de veiller sur Jérôme ? » – devint un réflexe verbal et non plus une requête.

Mon frère avait quatre ans quand nous entendîmes ce jour-là la sono du marchand de glaces monter en direction de notre rue. Immédiatement, une joie pavlovienne nous imposait d'abandonner toute activité pour la pièce de cinq francs et de descendre comme si nous avions le feu aux fesses les trois étages de l'immeuble. Une fois en bas, nous remontions la ruelle et nous présentions au bord de la route qu'il fallait traverser pour rejoindre les autres clients qui, le plus souvent, attendaient déjà le passage du camion avant que sa musique ne se fasse entendre. Et chaque jour, un petit bonhomme de quatre ans me tendait la main avant de traverser la route et s'attachait ainsi à moi avec comme désir le plus fou celui de tenir dans son autre main une glace à l'eau saveur fraise. Je ne saurai jamais pourquoi. Peut-être parce que deux heures plus tôt il avait renversé un verre de lait sur la table de la cuisine. Peut-être parce que sa chambre, que j'avais pourtant rangée la veille avant que nos parents n'arrivent, ressemblait à un champ de bataille et qu'il refusait de la mettre en ordre. Peut-être parce que les promesses répétées perdent de leur substance avec le temps…

— Tu peux me donner la main pour traverser la route, Franck ? Tu me donnes ta main ?
— Non, Jérôme, tu es assez grand maintenant.
— Alors on fait une course !

Aucun de nous, hypnotisés par le camion et ses promesses sucrées, n'a vu ni entendu la voiture arriver. La scène ne dura que quelques secondes mais à chaque fois qu'elle refait surface, je la vois au ralenti et mon corps n'a cependant pas le temps d'esquisser le moindre geste pour freiner la mort. Jérôme vit dans mon refus de lui tenir la main l'autorisation de traverser et d'atteindre en premier l'autre côté de la route, où déjà le vendeur ouvrait le hayon pour commencer sa distribution. Seulement, il n'y parvint jamais. La voiture le percuta de l'avant, son crâne frappant violemment la calandre avant de rebondir. J'ai encore la vision très nette de mon frère en train de retomber lourdement sur le bitume. Et le bruit aussi. Le véhicule ne freina pas pour autant. Il traîna le corps inerte suffisamment loin pour que les témoins de la scène soient obligés de courir en hurlant au conducteur de stopper son engin. Jérôme resta accroché quelques secondes sous le châssis puis la voiture hoqueta en le libérant, écrasant ses jambes et laissant derrière elle celui que j'avais promis de protéger.

Je ne repris vie que lorsqu'un voisin me secoua pour me réveiller. Je me rappelle juste m'être dit que j'allais m'allonger à côté de mon frère et prendre sa place afin qu'il puisse aller manger sa glace à la fraise. Mais quand j'ai voulu approcher, d'autres adultes se sont interposés. Une vieille voisine m'a pris dans ses bras en pleurant. J'ai voulu lui dire que ce n'était pas la peine de pleurer ainsi, que tout allait bien, que Jérôme faisait semblant de dormir comme lorsque nos parents venaient nous border le soir. Mais un autre voisin pleurait également. Un homme. Il était penché au-dessus de mon frère et ses mains étaient tachées de sang. C'est à cet instant que j'ai compris.

Et que je me suis mis à pleurer aussi.

Le reste fut un long trou noir. L'ambulance. Mes parents qui arrivent à l'hôpital. Le médecin, aussi blanc que sa blouse. Ma solitude. Immense. Ma main qui restait ouverte dans l'attente qu'une autre main plus petite vienne s'y loger. Le retour et son silence. Et le temps qui passe, jamais assez vite pour oublier.

— Tu m'avais promis que tu le protégerais.

C'était une semaine après l'enterrement de mon frère.

En voyant le cercueil minuscule descendre en terre j'étais persuadé qu'il y avait une erreur, que cette boîte insignifiante ne pouvait contenir Jérôme, qu'il était bien plus que cela, beaucoup plus que cela.

— Je n'ai pas vu la voiture… Tout s'est passé si vite…

— Tu avais fait une promesse, murmura mon père.

— Il me manque, papa, pleurai-je en attendant qu'il me réconforte.

Mon père buvait déjà avant l'accident. Et il but encore plus par la suite. Des bouteilles de bière s'entassaient autour de son existence. Il en prit une et vida le peu de liquide qu'il restait à l'intérieur. Puis il la saisit par le goulot avant de la briser contre le coin de la table.

— Viens me voir.

— Tu t'es coupé, ta main saigne, remarquai-je en m'approchant.

— Ta mère me fera un bandage quand elle rentrera… Viens me voir.

Comme je l'ai dit plus tôt, les enfants se persuadent qu'une punition est souvent méritée. Ils le font pour eux, afin qu'elle se termine et qu'ils puissent retourner à leurs occupations, mais aussi pour ceux qu'ils aiment et qu'ils ont contrariés. Car le plus grand désir à ce moment-là n'est pas d'échapper à la punition mais qu'elle soit rapide et que la vie reprenne comme avant la sentence. Et tant pis pour la douleur. Pense à autre chose. Pense aux gestes du matin. Le premier sourire. Le chocolat chaud que ta mère te prépare avec amour. À la main de ton père te caressant les cheveux. À son visage d'adulte qui sera un jour le tien. À cette impression que tu as d'être à leurs yeux une source de joie perpétuelle…

— Je suis désolé, implorai-je en me glissant dans ses bras. Il me manque tellement…

— Tu m'avais fait une promesse, me glissa mon père au creux de l'oreille, sa main libre caressant mon crâne d'une manière beaucoup plus appuyée et maladroite qu'avant.

— Je sais, je suis dé…

Sa main se referma sur ma chevelure et tira mon visage contre sa poitrine. L'autre approcha le tesson de bouteille de ma joue.

— Une promesse doit toujours être honorée. Je vais faire en sorte que tu t'en souviennes.

Puis le verre embrassa ma peau avec tristesse et colère.

Et cette punition, l'enfant que j'étais et que je ne serai dorénavant plus jamais savait qu'il l'avait méritée plus que n'importe quelle autre.

4

Je ne pus m'empêcher de fixer la cicatrice. Elle mesurait une dizaine de centimètres et lui barrait la joue droite. Malgré sa barbe légère et les années, l'épitaphe luisait encore sur le visage de Franck.

Ses paroles virevoltèrent dans mon esprit avant de s'évanouir. Si cet homme n'avait pas tué deux jeunes filles, j'aurais certainement été sensible à sa détresse et à ses souvenirs. Et même si imaginer un jeune garçon se faire renverser de la sorte par une voiture me mettait mal à l'aise, deviner le Rouquin se pencher au-dessus de Julie et d'Émilie avec une cicatrice déformée par un sourire assassin gommait toute compassion.

Une brise fraîche vacilla jusqu'à nous, profitant de l'espace libéré par la chute de la baie vitrée, et nous enveloppa de son odeur saline. La nuit s'approchait, aussi énigmatique et impénétrable que cet homme assis devant moi.

Franck, voilà donc ce que te murmurent tes fantômes, me dis-je en baissant les yeux. *Non seulement celui de Jérôme – « Tu peux me donner la main pour traverser la route ? » – mais aussi ceux d'Émilie, de Julie – « Vais-je devenir un fantôme ? » – et de ton père – « Tu m'avais fait une promesse… ».*

Beaucoup trop de premières morts pour ne pas sombrer dans la folie…

— Pourquoi me racontez-vous cela ?

— Pour t'aider, admit-il, la voix emplie de résignation.

— Pour m'aider ?

— Pour t'aider à comprendre. Crois-moi, une fois que tu auras décrypté ton douzième chapitre, tu auras toutes les réponses à tes questions. C'est un joli poème. Savais-tu qu'Éléonore avait appelé son chien Malherbe, en hommage au poète ?

Non, je l'ignorais et à vrai dire je me fichais complètement de cette information.

— Si vous voulez réellement m'aider, dites-moi où se trouve Tatie, tentai-je.

— Tatie… Désolé, mais je ne pense pas que ce soit une bonne idée.

— Vous allez vous enfuir, n'est-ce pas ?

— En effet, je vais disparaître. Tu es proche de la vérité. Et comme tu l'imagines, une fois que tu auras tout raconté, la police cherchera à me poser quelques questions… Je n'ai pas d'autre choix. Enfin si, l'autre choix serait de te tuer, toi et les autres, pas seulement ceux qui ont reçu le texte, mais aussi Tatie, M. Vermont, Olivier… Mais je n'arrive même pas à te tirer dessus. Il y a trop de ton enfance en toi… Et il te reste ton douzième chapitre à comprendre.

— Rien à foutre de mon douzième chapitre. Je connais les grandes lignes : Tatie nous a envoyé ce texte pour innocenter un homme et pour en démasquer un autre. Je me moque de vos promesses tenues ou non tenues tout comme je me moque de Malherbe, la seule chose qui importe à présent est que vous payiez pour ce que vous avez fait…

— Je le paye tous les jours, crois-moi.

— Pourquoi avez-vous tué Émilie ?

— Un… un entraînement, comme tu l'as supposé tout à l'heure. Il fallait que je sache si j'en étais réellement capable.

— Espèce de cinglé…

— David…, souffla le Rouquin en ramassant le fusil.

— Vous êtes un assassin… Un fou…

— Ah oui ? Et tes parents alors ? Ta mère ? N'était-elle pas folle d'accepter la violence de ton beau-père ? Crois-tu qu'elle ignorait tout de nos plans ? Elle était présente avec nous lors des réunions ! Elle aussi a regardé la maison brûler sans rien avouer ! Crois-tu que je sois le seul assassin dans toute cette histoire ? L'assassin n'est pas obligatoirement celui qui tue. C'est aussi celui qui l'y encourage. Par sa présence. Par son silence. Ils étaient tous des assassins. Julie n'avait aucune chance !

— C'est tout de même vous qui avez commis l'innommable ! Vous avez tué deux gamines tout comme vous avez tué votre frère !

Je ne me faisais guère d'illusions. Je savais qu'en lançant cette ultime accusation le fusil se lèverait et cracherait sa furie. J'allais mourir ainsi. Demain, Sarah rentrerait, découvrirait un salon mis à sac, une baie vitrée émiettée et le visage de son mari transformé en un mélange d'os, de sang et de cervelle. Sans doute des mouettes se frayeraient-elles un chemin à travers ce chaos pour venir se nourrir un peu.

J'aurais souhaité avoir plus de temps.

Voilà ce qu'on se dit lorsque l'on va mourir.

J'aurais souhaité avoir plus de temps.

Un peu plus de temps pour retrouver Tatie.

Un peu plus de temps pour connaître la vérité.

Un peu plus de temps pour enfin dire bonjour à la vieille dame qui passe tous les matins.

Un peu plus de temps pour connaître Henri.

Un peu plus de temps pour emmener Sarah sur l'île d'Yeu.

Mais il n'y eut aucune détonation. Juste quelques dernières paroles. Juste le sentiment de ne plus rien comprendre.

— Tu n'es encore qu'un gamin, David, tout deviendra plus clair quand tu auras décrypté ton douzième chapitre. Je suppose que c'est un adieu.

Je restai de longues minutes sans bouger de mon fauteuil.

Peut-être une heure.

Peut-être plusieurs.

Un silence lourd et repoussant prit possession de la maison. Seul le bruit des vagues au loin parvenait à rythmer la cacophonie qui résonnait à l'intérieur de mon crâne. Je n'arrivais plus à réfléchir au milieu de ce concert de paroles essoufflées. Les douzièmes chapitres se mêlaient entre eux, ponctués par les voix de Julie, d'Émilie, de Jérôme, de mon beau-père et de ma mère, et dans cette danse macabre se joignaient à leur tour les vers du poème de Malherbe. Tous ces personnages, tous ces souvenirs m'adressaient un message que je ne réussissais tout simplement pas à interpréter.

Je réussis finalement à reprendre vie et à quitter ce fauteuil dans lequel – et je ne pourrais plus jamais le faire dorénavant – je restais tous les matins à observer l'horizon en attendant l'inspiration. Que devais-je faire ? Joindre Henri pour lui raconter ma rencontre avec le Rouquin ? Le laisser prévenir les gendarmes ? Tout oublier et chercher de fausses excuses pour expliquer à Sarah l'état de la maison (et le mien) ? Prévenir Samuel pour lui dire qu'il avait raison, que tout le monde autour de nous devenait des fantômes ?

La seule décision que je fus capable de prendre fut de ramasser étagères et livres pour remettre le tout en place et retrouver ainsi un semblant de normalité.

J'essayai d'oublier.

Pour la première fois depuis l'apparition de l'enveloppe, je me concentrai non pas pour trouver la clef de l'énigme mais pour repousser dans les profondeurs du passé chacun des fantômes échappés. J'étais une vague qui ne tentait nullement de caresser le rivage mais au contraire de s'en éloigner, luttant à contre-courant de son envie de vérité.

Le Rouquin avait-il raison ? Le mieux était-il de tout oublier ? De ne plus se souvenir ? Mais dans ce cas, les fantômes ne reviendraient-ils pas, aussi opiniâtres que les marées ? De leurs voix d'outre-tombe Éléonore, Julie et Émilie me chanteraient-elles des contes macabres qui me précipiteraient dans la mort aussi certainement qu'elles le faisaient avec la conscience de M. Vermont ?

Alors que je m'agenouillais pour saisir divers livres, une nouvelle étincelle crépita dans mon esprit. Je luttai un instant contre sa présence mais elle revint, augmentant d'intensité à chaque fois que je prenais le risque de l'étudier. J'avais beau tenter de la fuir, mes efforts demeurèrent inutiles car l'étincelle se mua en un brasier autour duquel les voix se rassemblèrent, plus nettes, plus abouties, telles des âmes de pirates dansant autour du feu sacré. Mon corps tangua comme un vieux navire à la dérive et je fus obligé de m'asseoir à même le sol pour garder mon équilibre.

Les voix se firent plus intenses. Elles traversaient l'océan, le temps, mon enfance et la rue des Mouettes pour s'assembler telles les pièces d'un puzzle. Celles des morts se joignaient à celles des vivants, comme s'il n'y avait jamais eu de réelle frontière entre les deux.

Une promesse est une promesse.
Mais elle était du monde, où les plus belles choses
Est-ce que je vais devenir un fantôme ?
Ont le pire destin ;
Écoutez les murmures.
Et rose elle a vécu ce que vivent les roses,
Toute cette histoire est une histoire de fantômes.
L'espace d'un matin.
Quoi que le vieux Vermont t'ait raconté, j'ai tenu ma promesse…

Et soudain tout prit sens.
La vérité m'apparut.
Aussi effroyable et insensée qu'une femme se suicidant pour rejoindre les murmures de l'océan. « Pourtant, Éléonore avait raison », admis-je à demi-mot, tétanisé par ma découverte.

Car c’était bien dans cette direction que se trouvait le pied de l’arc-en-ciel.

Et c’est là-bas que j’avais rendez-vous le lendemain matin.

5

Le lendemain, après avoir passé la majeure partie de la nuit à me persuader que je perdais la tête, je descendis à 8 heures précises le chemin de galets qui donnait sur la plage.

Le soleil dardait de ses épines dorées l'océan qui lui renvoyait une partie de son éclat. La mer était calme, encore endormie. Les vaguelettes hésitantes ne parvenaient pas à effrayer les bécasseaux variables qui fouillaient nerveusement le sable à l'aide de leurs longs becs.

Je m'assis à quelques mètres du rivage, une tasse de café fumante dans la main. Malgré moi, je ne pus m'empêcher de vérifier qu'aucune goutte n'avait coulé le long de la porcelaine. Des larmes noirâtres pointaient vers le bas de la tasse. Non pas à cause de la géographie hasardeuse du chemin, mais tout simplement parce que mes mains tremblaient.

Je déposai la tasse à côté de moi et croisai mes bras par-dessous mes genoux repliés. J'observai l'océan durant de longues minutes. Comme si la vérité s'y trouvait. Comme si le corps d'Émilie allait finalement en ressortir. Comme si des pirates en haillons risquaient d'apparaître entre deux vagues et de marcher jusqu'à moi pour me convaincre que mes pensées étaient fausses et que ma présence ici, à cette heure, se révélerait aussi inutile et insensée que leur croyance en une déesse protectrice.

Mais l'océan resta muet.

Il ne murmura aucun secret susceptible de me donner tort ou raison.

Alors j'attendis encore.

Et tentai une dernière fois de me persuader que c'était impossible.

Il se passa un long moment avant que je ne perçoive un mouvement plus loin sur la plage. Je le reconnus immédiatement. Le golden retriever déambula jusqu'à mi-pattes dans l'eau puis se figea en me découvrant. Il m'observa quelques secondes avant de trottiner dans ma direction, truffe en avant, sans prêter attention aux volatiles qui piaillèrent de mécontentement sur son passage. Finalement, il s'allongea à côté de moi et fixa de ses yeux noir de jais les larmes qui coulaient sur mes joues.

Je le caressai maladroitement en n'osant détacher mon regard de l'horizon. Le chien ne s'en offusqua guère et se laissa faire en surveillant le côté de la plage d'où il était apparu quelques instants auparavant.

Certains souvenirs ne veulent pas disparaître complètement. Les premières morts en font partie. Les lumières colorées du Bois Tordu également. Les monstres comme les mamans. Les pendues comme les poètes. Les noyées comme les brûlées. Les garçons renversés comme les promesses oubliées. Tous forment cet arc-en-ciel que les pirates de notre enfance traversent de temps en temps, au hasard d'une odeur, d'un goût, d'une vision ou d'une enveloppe abandonnée sur un perron. Ce sont les murmures avec lesquels nous devons vivre.

Voici en partie ce que j'avais compris cette nuit.

Et parfois, ces souvenirs pouvaient devenir aussi réels et tangibles qu'une phrase prononcée non loin de moi.

Une phrase capable de faire redoubler mes larmes.

De m'empêcher d'esquisser le moindre geste.

Et capable de réveiller un chien qui se prélassait à mes côtés.

— Donkey ! Tu es là ! Laisse ce monsieur tran…

La silhouette finit par s'asseoir, elle aussi.

Ses pieds apparurent dans mon champ de vision mais restèrent à bonne distance des miens, comme si une frontière invisible nous empêchait de partager de nouveau le même grain de sable.

J'étais toujours incapable de bouger. Même si cette nuit j'avais découvert la vérité en comprenant mon douzième chapitre, une partie de moi continuait à me murmurer que tout cela n'était que pure folie. Mais il n'y avait plus de doute à avoir, et la phrase prononcée par M. Vermont – « tout ceci est une histoire de fantômes » – prenait tout son sens.

— Tu as donc déchiffré ton douzième chapitre, dit Julie d'une voix si réelle qu'elle me fit frissonner.

— Tu… tu es morte…

— Oui, David, je suis morte un peu plus loin sur cette plage, un été 1986.

— J'ai l'impression de devenir fou, admis-je en fixant le sable entre mes pieds.

— Pas assez pour ne pas comprendre le poème, tenta de plaisanter Julie. Je savais que tu y parviendrais. J'ai lu tous tes livres, tu sais. Je suis une fan !

— Pourquoi ? Pourquoi ne m'as-tu pas tout expliqué lorsque nous étions enfants ? demandai-je, ignorant son trait d'esprit et séchant mes larmes d'un revers de la main.

— Pourquoi ne m'as-tu pas embrassé ce soir-là ?

— Parce que je ne comprenais pas… Parce que j'avais peur.

— Alors tu sais pourquoi je ne t'ai rien dit, affirma Julie. J'étais une enfant. J'avais peur. La maison de mes parents brûlait. Le ciel s'obscurcissait. Franck est arrivé et m'a dit qu'il fallait partir, rapidement, que j'étais en danger. Nous sommes allés jusqu'à la voiture, sur le parking où Samuel nous a aperçus. Je l'ai vu aussi. J'ai tenté de lui faire signe mais je crois qu'il ne s'en est pas rendu compte. Je me suis installée à l'arrière du véhicule où toutes mes affaires étaient prêtes. Nous avons roulé toute la nuit. Je n'ai pas posé de question car la consigne était de ne pas en poser, je le savais avant de me rendre aux Mouettes. J'avais une confiance absolue en mon père. Et lui avait une confiance absolue en Franck. Nous nous sommes arrêtés une fois. Il en a profité pour téléphoner et quand il est revenu, j'ai vu qu'il pleurait. Alors j'ai fait semblant de dormir et je me suis blottie contre la banquette en souhaitant que l'année suivante arrive le plus rapidement possible pour pouvoir te retrouver.

Je tentai de rassembler le courage suffisant pour détacher mon regard du sable et affronter celui de Julie. J'en fus incapable.

— Donc, le cadavre…

— Je ne l'ai su que des années plus tard. J'ai grandi en Angleterre, dans un village minuscule du Suffolk.

Nous avons pris l'avion avec ma tante, le lendemain de mon retour de Saint-Hilaire. Je ne comprenais rien à ce qui se passait. Tout le monde autour de moi me disait de ne pas poser de questions, qu'un jour je serais en âge de comprendre mais que pour l'instant, il fallait que j'obéisse. Plus tard, à l'adolescence, quand mon père venait me voir, j'essayais d'obtenir des réponses mais une si grande tristesse se dessinait sur son visage que je me contentais de ses vagues paroles. « Les Mouettes est un endroit maudit, ma chérie, et j'en suis en partie responsable. Oublie ce qui s'est passé cet été-là. » Voici la seule explication qui franchissait ses lèvres. Les années ont passé, et j'ai oublié.

Je ne pouvais lui en vouloir. De mon côté aussi l'avenue des Mouettes avait disparu durant de nombreuses années.

— Puis mon père est tombé gravement malade. Il y a trois mois je suis revenue en France pour m'occuper de lui. Julie Malherbe, autrefois Julie Vermont, s'est installée dans un hôtel de Saint-Jean-de-Monts. Je suis passée devant chez toi en longeant la plage sans me douter un seul instant qu'un jour je franchirais ton portail pour déposer une enveloppe contenant un terrible secret. Mais un après-midi, alors que j'achetais des provisions, j'ai entendu à la radio locale qu'un homme coupable de deux assassinats allait être prochainement libéré. Et deux prénoms ont été donnés, Julie et Émilie. Ainsi qu'une date, 1986. Je me suis immédiatement rendue chez mon père car des murmures me soufflaient qu'il ne pouvait s'agir d'un hasard. Et en effet, il m'a tout expliqué, y compris le cadavre.

— Émilie…

— Émilie…, murmura Julie. J'ai appris que Franck avait décidé de tuer une jeune fille pour maquiller mon propre décès. Je n'en croyais pas mes oreilles et de colère j'ai même giflé mon père mourant. Le Rouquin a raconté à mon père que ce soir-là, le vendredi, le jour de ton arrivée, il avait participé à une réunion chez tes parents. Il en était ressorti ivre et furieux. Après avoir marché le long de la plage pour tenter de se calmer, il avait croisé une jeune fille à l'orée de la forêt de Monts, près du Bois Tordu. Elle me ressemblait tellement qu'il l'avait appelée par mon prénom. Émilie pleurait car elle ne retrouvait pas le chemin de son camping. Il s'était approché d'elle en murmurant mon prénom et celui d'un jeune garçon. Émilie lui avait fait confiance. Elle lui avait tendu la main en l'écoutant répéter qu'il allait la ramener à ses parents. Comme elle tremblait de froid, il s'était approché d'elle et l'avait prise dans ses bras. Il l'avait serrée. Très fort. Trop fort. Puis des paroles confuses avaient accompagné l'agonie silencieuse de la jeune fille. *Julie... Jérôme... Il me manque aussi, papa... Une promesse est une promesse... Il me manque tellement...* Émilie s'est éteinte ainsi, étouffée par un homme désireux d'étouffer le passé. Lorsque le Rouquin a compris qu'il venait d'assassiner une enfant, il a pris peur. Il a ramassé le corps avant que quelqu'un ne les surprenne et s'est enfui vers la plage en tenant Émilie dans ses bras. Il voulait la jeter à l'eau. L'abandonner aux courants. Il souhaitait que les pirates veillent sur elle et qu'ils le lavent de toute cette folie, de ce crime, de celui à venir que ses collègues espéraient tellement et de celui, passé, qu'il pleurait tant… Et c'est sans aucun doute à ce moment-là, face à cet océan, le même que nous avons observé quelques jours plus tard en revenant du Bois Tordu, que Franck a réalisé qu'il pouvait y avoir une solution… Mon Dieu, je suis vivante parce que quelqu'un d'autre est mort… Comment pouvais-je vivre avec cela ? La seule chose à faire était de rétablir la vérité. David, c'est mon père qui m'a indiqué où tu habitais. C'est lui qui a émis l'idée de t'envoyer un texte.

— Bon sang, il l'a tuée pour te protéger, il a tenu sa promesse…, soufflai-je pour moi-même en repensant aux dernières paroles du Rouquin.

Je levai lentement la tête et regardai au loin. Le corps d'Émilie n'avait donc jamais été abandonné en pleine mer. Après avoir été caché, il avait été brûlé et avait servi de leurre. Samuel avait eu raison quand il avait remarqué que la fillette ressemblait beaucoup à Julie. C'était sans aucun doute ce détail qui avait insinué la solution dans l'esprit du Rouquin. Une fois son corps momifié par le feu, sans possibilité de relevé ADN, la justice, pressée de clore l'affaire, s'était contentée des éléments mis à sa disposition.

— Ton père t'a donc raconté la vérité et a voulu que tu me l'écrives ?

— Oui. Je crois qu'il attendait cette délivrance depuis cette nuit où nous sommes revenus de Saint-Hilaire et où Franck lui a avoué ce qu'il avait fait. Il a failli le tuer. Il l'attendait avec un fusil de chasse chargé. Je faisais encore semblant de dormir quand j'ai vu la silhouette trapue du Rouquin passer la porte d'entrée. Dix minutes plus tard, mon père est sorti en courant, a ouvert la portière et m'a prise dans ses bras en pleurant des larmes que je ne comprenais pas. À partir de ce moment, les deux hommes se sont retrouvés liés par un secret qui, s'il s'ébruitait, les enverrait en prison pour le reste de leurs jours. Mon père promit à Franck qu'il n'en parlerait jamais à condition que celui-ci disparaisse de notre vie. Et le lendemain, nous sommes partis pour l'Angleterre.

— Et Tatie ? hasardai-je en repensant à cette femme qui avait été depuis le début au centre de l'histoire.

— Elle est décédée un an après la découverte du corps… Suicide par médicaments. Je ne l'ai appris qu'à mon retour en France, déplora Julie dont la voix faiblit pour la première fois.

Savoir que Tatie avait avalé des pilules sans aucune intention de se réveiller me fit serrer les poings de colère. Je revis sa silhouette suivre comme un ange protecteur celle de Julie. Je me souvins de ses paroles – « Je suppose que tu es David » – et du sourire qui suivit lorsque Julie nous présenta à elle pour la première fois. Mais plus que tout, je me souvins du sentiment de bien-être et de sécurité que je ressentais en sa présence. C'était une adulte. Tout comme mon beau-père. Tout comme le Rouquin. Tout comme ma mère et son regard absent. Tout comme le frère de Samuel. Mais pour nous trois, elle ne représentait aucun danger. C'était une adulte qui entendait encore les voix de sa propre enfance.

— Je suis désolé, murmurai-je. Je l'aimais beaucoup.

— Je sais, se contenta de répondre Julie.

— Tu comprends ce que tout cela signifie ? demandai-je soudainement, en relevant le visage vers le ciel.

— De quoi parles-tu ?

— Du Rouquin et de l'assassinat d'Émilie, précisai-je en maudissant la conclusion qui allait suivre.

— Que c'est un cinglé, soupira Julie.

— Non, ce n'est malheureusement pas aussi simple. Cela signifie qu'il t'a crue suffisamment en danger pour agir précipitamment. Comme tu me l'as appris, il était à moitié ivre et en colère mais aussi sans aucun doute effrayé par la détermination de ceux qu'il venait de quitter. Et cela veut donc dire que mon beau-père et le reste de sa bande voulaient véritablement te tuer.

— Ce n'est plus important…, me coupa-t-elle.

— Si, ça l'est pour moi.

— Je suis certaine que ta mère…

— Le Rouquin m'a affirmé le contraire. Il m'a dit que ma mère n'aurait jamais été capable de te faire du mal. Il a en quelque sorte voulu me protéger, du moins protéger le souvenir que j'avais d'elle. Mais il a aussi ajouté que l'assassin n'est pas obligatoirement celui qui tue. C'est aussi celui qui l'y encourage. Et je pense qu'il a raison…

— Peut-être est-il simplement fou et a tout inventé…

Je fermai les yeux un instant et aussitôt la vision d'un enfant tendant la main pour qu'on la lui prenne avant de traverser une route me fit regretter ce geste. J'étais perdu. Tout ce flot d'informations – sans oublier l'apparition d'un amour d'enfance non seulement disparu mais mort depuis trente ans – me martelait le cerveau. Une simple question émergea et j'étais certain qu'elle se l'était posée elle aussi : devions-nous condamner le Rouquin pour avoir tué Émilie ou devions-nous le remercier d'avoir sauvé Julie ?

Je me refusais d'y répondre, et ce refus me laissait un goût nauséeux dans la bouche.

— Quand as-tu compris ton douzième chapitre ? reprit Julie, que le silence qui s'était installé mettait mal à l'aise.

— Cette nuit, grâce à Franck.

— Il est venu te voir ?

— Deux fois. Ma baie vitrée ne s'en est pas remise. Il m'a dit que le chien de ta mère s'appelait Malherbe. C'est ce qui m'a mis sur la voie. Cela et le dernier vers : « l'espace d'un matin ». J'ai cru que ces deux indices mis bout à bout m'indiquaient cette vieille dame que je voyais tous les matins passer devant chez moi avec son golden retriever. J'étais persuadé que Tatie était cette vieille dame. Puis, j'ignore encore pourquoi, je me suis attardé sur le premier vers : « Mais elle était du monde, où les plus belles choses ». Le singulier m'a dérangé. Le poème ne parle que d'une seule jeune fille disparue alors que le texte traitait bien de deux corps. Soit il s'agissait d'un simple détail (dans ce cas l'auteur des chapitres avait mal choisi son poème, ce qui ne collait pas avec les multiples exactitudes contenues dans l'enveloppe), soit d'un indice concret. Et c'est alors que les paroles de ton père sont apparues en écho. « Car toute cette histoire est une histoire de fantômes. De ces morts qui reviennent à la vie… De ces vivants qui semblent déjà morts… Tous sont des fantômes. Et tous ont un message à porter. » « Si vous tenez à ce point à connaître la vérité, dans ce cas, vous devrez croire aux fantômes. Il n'y a aucune autre solution… » Toute la nuit j'ai lutté contre mon idée. Non seulement elle me paraissait invraisemblable, mais l'accepter me donnait l'impression de devenir fou. Et pour me débarrasser de ce sentiment, je n'avais qu'une seule chose à faire.

— Rencontrer la « vieille dame ».

— Désolé mais avec la distance…

— Oui, la distance et le temps nous rendent de moins en moins perceptibles… Et puis je traîne un peu la patte, une fracture encore trop fraîche pour pouvoir marcher normalement. C'est de ma faute si Franck se trouve ici. Je lui ai envoyé une lettre pour le prévenir que mon père ne vivrait plus très longtemps. J'ai longtemps hésité, mais je l'ai mis au courant. Je savais que mon père était allé lui rendre visite et l'avait prévenu que la vérité risquait de refaire surface.

— Mais tu n'étais pas encore arrivée à ce moment-là. Donc…

— Donc mon père voulait se rendre à la police et tout avouer. Il avait prévu de le faire juste avant qu'Olivier ne sorte de prison. Puis la maladie a été diagnostiquée et je suis venue. Il m'a tout raconté et a supposé que le meilleur moyen pour un écrivain de croire à la vérité était de lui présenter comme une fiction. Assez tordu, je dois l'avouer. Mais, selon moi, l'envoyer à une seule personne était un risque. Si jamais tu n'avais pas donné suite, un temps précieux aurait été perdu. J'ai donc décidé de faire trois copies, chacune liée par un douzième chapitre.

— Pourquoi n'es-tu pas simplement venue me voir pour m'expliquer cela ?

— Et qu'est-ce que j'aurais dit ? s'étonna-t-elle en saisissant un peu de sable dans sa main. « Salut c'est moi, je suis morte depuis trente ans mais je pense que je connais le véritable coupable » ? Les plus légitimes à comprendre ce qui s'était réellement passé étaient vous trois. Il fallait vous ramener vers le passé, vous rappeler qui vous étiez à ce moment précis de votre vie et pourquoi vous aviez été tour à tour sourd, muet et aveugle. Les souvenirs sont faussés par le temps, mais des souvenirs provenant de trois personnes différentes ne peuvent que déboucher sur la vérité.

— Pourquoi suis-je le personnage principal ?

— Parce que tu l'as toujours été, pour moi. Et parce que ton rôle dans cette affaire n'est pas terminé.

— Pas terminé ?

— Non, David, il reste le plus important à mettre en place. Car à présent, c'est à toi de faire une promesse.

6

J'écoutai Julie m'exposer sa requête.

Donkey dormait toujours d'un sommeil lourd, bercé par le son de nos voix et par la danse régulière des vagues.

Je n'avais pas encore trouvé le courage de la regarder. À vrai dire, j'avais l'impression qu'elle aussi évitait de me fixer, comme si chacun d'entre nous avait décidé de s'adresser aux enfants que nous étions alors et non pas aux adultes que nous étions devenus. Du coin de l'œil, je pouvais apercevoir sa chevelure qui me parut moins dorée que dans mes souvenirs. En serait-il pareil avec son visage si j'osais le regarder ? Le sourire de Julie s'effacerait-il complètement de ma mémoire si je découvrais celui de cette femme assise à ma gauche ? C'était un risque que je ne souhaitais pas prendre. Morte ou vivante, Julie ne serait jamais aussi belle que dans mes souvenirs, j'en étais persuadé.

— Tu veux donc que j'écrive un livre ?

— Oui.

— Mais la justice va intervenir, rétorquai-je.

— C'est pour cela que tu le publieras dans six mois, lorsque Olivier sortira de prison. Mon père ne survivra pas longtemps, il n'assistera pas au déballage médiatique.

— Mais… Et toi ?

— Moi, je serai loin, David. Je ne suis que de passage.

— Pourquoi veux-tu…

— Pour Émilie…, me coupa-t-elle. Pour ses parents… Pour Tatie… Pour Olivier qui n'a jamais blessé quiconque… Pour les enfants que nous étions et qui s'étaient promis de ne jamais vieillir… Pour notre baiser naufragé, pour Henri et son combat, pour ma mère et ses fantômes… Il y a tellement de raisons. Rétablis la vérité en partant des chapitres que je t'ai donnés, il y a assez de détails pour que tu en façonnes un roman.

— Et ensuite ?

— Ensuite, le livre sortira, tu pourras prétendre que tout cela n'est que pure fiction. Mais un ancien gendarme se décidera à creuser un peu plus. Henri fera tout son possible pour persuader ses collègues encore en fonction que cette histoire pourrait tout à fait se révéler plausible.

— Pourquoi ne pas simplement envoyer le texte à la police ?

— Parce que je veux que les gens se souviennent, David. Je veux que le prénom d'Émilie ne soit pas simplement prononcé par ses parents mais par tous ceux qui comprendront que cette petite fille est morte pour que je puisse vivre. Je voudrais que les pirates la relâchent et qu'elle vienne s'asseoir à côté de nous. Et le seul moyen pour qu'un fantôme traverse l'arc-en-ciel est d'écrire son histoire, de la lire et de murmurer son prénom comme une incantation. Car quand les murmures se taisent, le silence n'est que tristesse, David.

Julie avait raison. Le meilleur moyen pour que justice soit faite était que le plus grand nombre de personnes se mettent à évoquer le prénom d'Émilie. Les juges, la presse, la police, personne ne pourrait l'ignorer. Et je serais celui qui lui ferait traverser l'arc-en-ciel. C'est ce que je promis à Julie.

Je me perdis un instant dans le mouvement lent et soyeux de la marée montante qui avalait la plage. Les vagues m'ont toujours fait penser à des mains qui essaient d'agripper le présent, mais qui sont sans cesse ramenées vers le passé.

— Il est temps de refermer ton portail, conseilla Julie en se relevant. Pas seulement celui de ta propriété mais aussi celui par lequel tous ces fantômes sont entrés. C'est ce que je vais faire aussi. Tu recevras bientôt une lettre, que tu remettras à Henri. Dis-lui de l'ouvrir le jour où Olivier sortira de prison.

— C'est donc ainsi, tu vas disparaître, une nouvelle fois.

— Je te donnerai des nouvelles de temps en temps.

— Ce n'est vraiment pas sympa, rétorquai-je en souriant.

Comme alerté par le mouvement de sa maîtresse, Donkey se dressa et se pencha pour quémander une dernière caresse.

— Embrasse Samuel pour moi. Dis-lui que Donkey aurait été heureux de le connaître.

— Je suis certain qu'il appréciera la référence, remarquai-je en me levant à mon tour.

À cet instant, je rassemblai mon courage et regardai Julie dans les yeux. La couleur vert émeraude était toujours présente, peut-être un peu plus fatiguée mais toujours luminescente. Ses cheveux avaient été coupés plus court et son sourire qui jadis faisait naître en moi un désir inavouable se dessina avec plus de retenue que par le passé. Nous restâmes ainsi, face à face, reproduisant cette scène où le baiser n'avait jamais atteint les rives de nos lèvres, où deux enfants avaient cru à l'éternité d'un bracelet brésilien, murmurant sans le savoir le même souhait, celui de ne jamais s'oublier.

Puis Julie se détourna et entama sa marche de plusieurs kilomètres en direction de son père, celui par qui tout avait commencé et par qui tout finirait, cet homme que j'avais pris pour un fou alors qu'il me conseillait de croire aux fantômes du passé.

ÉPILOGUE
(Ajouté pour la seconde édition)

Six mois plus tard

Sarah est à mes côtés.

Ainsi qu'Henri.

Tous les trois, nous observons avec émotion un homme remonter l'allée encerclée de grilles de la maison d'arrêt de La Roche-sur-Yon.

Une vingtaine d'autres personnes sont présentes.

Olivier marque un temps avant de comprendre que tous sont venus pour le saluer. Henri pousse le fauteuil roulant dans lequel la mère d'Olivier, en larmes, est assise. Elle murmure des excuses douloureuses quand son fils se penche vers elle pour la prendre dans ses bras. La petite troupe se resserre autour de celui qui, bien qu'il l'ignore encore à ce moment précis, Samuel ayant programmé la sortie du livre le lendemain, attirera sur lui la lumière médiatique et judiciaire de tout un pays. Bien sûr, je n'ai pu résister au plaisir de faire lire le texte à sa mère qui, à son tour, a prévenu la famille proche. Le processus était ainsi lancé. Le prénom d'Olivier commença à être murmuré par la vieille femme, puis par les voisins. Tous se promirent de venir le saluer à sa sortie de prison. Je remarque également un journaliste. Celui-ci doit se demander qui lui a envoyé une enveloppe marron contenant quelques extraits du livre. Peut-être enquêtera-t-il par la suite et remontera-t-il jusqu'à moi. Pour l'instant il se contente de prendre des photos.

Chaque chose en son temps.

Henri s'approche à son tour d'Olivier. Il le prend dans ses bras, un long moment, et je devine des larmes au coin de l'œil de l'ancien gendarme. Je déglutis pour ravaler les miennes tandis que Sarah me dépose un baiser sur la joue.

Une heure plus tard, quand Olivier, sa mère, Sarah, Henri, un avocat embauché par mes soins et moi-même nous retrouvons dans le salon privé d'un restaurant étoilé, une enveloppe toujours scellée fait son apparition.

— C'est pour toi, Olivier, annonce Henri en faisant glisser l'enveloppe vers celui pour qui il n'a jamais cessé de se battre. J'ignore ce qu'elle contient, je devais juste te la remettre.

J'observe d'un œil complice l'ancien coupable décacheter l'enveloppe. Il en retire une feuille sur laquelle est inscrite une simple phrase, *Je suis désolée*, suivie d'un alignement de chiffres, de lettres et d'une adresse. Quelques jours plus tard, Olivier découvrira qu'il est le détenteur d'un compte bancaire au Crédit agricole de Saint-Hilaire-de-Riez sur lequel de l'argent a été déposé régulièrement par quelqu'un dont l'identité est protégée par le secret bancaire. Le seul élément qu'il pourra obtenir sera le montant crédité sur ce compte : trois cent dix mille euros. Dix mille euros par année de prison.

Henri et moi expliquâmes à Olivier le livre et sa genèse. Il nous écouta attentivement mais ne sembla pas saisir ce que cela signifiait réellement. Il lui faudrait du temps pour comprendre. Trente et une années à se battre contre les moulins à vent du système judiciaire avaient fait de lui un être sceptique et prudent.

Paul Vermont rejoignit Éléonore trois mois avant la sortie du livre. Il fut enterré dans le cimetière se trouvant à quelques mètres des ruines de l'ancienne usine, aux côtés de sa femme et du cercueil de Julie, que la police scientifique déterra une fois l'enquête rouverte et la demande d'analyse ADN acceptée.

Aussitôt, un mandat d'arrêt fut prononcé à l'encontre de Franck. La police le retrouva rapidement, pendu chez lui, et mamie Côte d'Or, qui fut interrogée, affirma simplement, après avoir proposé du chocolat aux deux fonctionnaires ayant cogné à sa porte, que la lumière extérieure ne fonctionnait déjà plus depuis plusieurs semaines.

Conséquence des nouvelles conclusions des juges, une cérémonie officielle est prévue prochainement durant laquelle l'État français reconnaîtra officiellement l'innocence d'Olivier.

Je reçois de temps à autre une carte postale complètement vierge de tout message ou de toutes coordonnées. Toutes montrent un horizon noyé par l'océan. Sur chacune, le bleu de l'eau s'oppose à la couleur orangée du soleil au-dessus.

Pas de camaïeu noyant la frontière entre les deux comme le tableau accroché dans ma chambre ni d'arc-en-ciel filtrant les morts et les vivants.

Sur ces décors que Julie m'adresse, tout est clair, limpide, apaisé.

À l'image de ce qu'aurait dû être notre enfance.

À l'image d'un baiser parfait.

REMERCIEMENTS

Tout d'abord un grand merci et une énorme reconnaissance à Caroline Lépée et Philippe Robinet. Sans vous, cette histoire ne serait restée qu'un murmure.

Merci à toute l'équipe de Calmann-Lévy. Par crainte d'en oublier, je ne citerai personne mais féliciterai tout le monde. Vos conseils, vos corrections, vos attentions font que je me suis senti accompagné et encouragé depuis le premier mot écrit. Vous êtes le précieux équipage sans lequel aucun bateau ne pourrait voguer.

Merci à Julien B., gendarme de son état, pour son aide précieuse (et désolé pour les coups reçus lors des entraînements de foot !).

Merci à Julie F. pour m'avoir « prêté » son prénom. Tu vois, *une promesse est une promesse*…

Certains des lieux/personnages/évènements évoqués existent réellement. L'avantage de l'auteur est de pouvoir les embellir ou les noircir à sa guise.

Je ne m'en suis pas privé.

Donc merci au rouquin de mon enfance, dont j'ignore encore s'il était un agent secret, un assassin, un pirate ou un homme ordinaire.

Merci à ma mère de m'avoir emmené avenue des Mouettes. Et puisqu'il y a prescription, en effet, alors que je dormais chez un ami, nous avons bien fait le mur pour nous rendre au Bois Tordu.

Merci à ce petit garçon qui s'est fait renverser rue Sarrault et qui s'en est sorti. J'ai toujours voulu te remercier de t'être tant battu. C'est chose faite à présent, grâce à toi.

Merci à Sophie H., ma première lectrice et le sourire de mon fils.

Merci à Loan qui, pendant que j'écris ces lignes, chantonne *Get Out of Your Own Way* sans se soucier des paroles ou de ma présence.

Je lutte contre l'envie de le suivre mais c'est peine perdue.

Get out of my own way...

Je m'empresse d'apposer le point final pour chanter à mon tour.

C'est ainsi et c'est tant mieux.

Fin du combat.

Victoire de l'enfance.

Du même auteur
aux éditions Calmann-Lévy :

Les Chiens de Détroit, 2017.

Le Livre de Poche s'engage pour l'environnement en réduisant l'empreinte carbone de ses livres. Celle de cet exemplaire est de :
250 g éq. CO_2
Rendez-vous sur www.livredepoche-durable.fr

Composition réalisée par Belle Page

Achevé d'imprimer en France par
CPI BRODARD & TAUPIN (72200 La Flèche)
en août 2019
N° d'impression : 3035067
Dépôt légal 1re publication : septembre 2019
LIBRAIRIE GÉNÉRALE FRANÇAISE
21, rue du Montparnasse – 75298 Paris Cedex 06

38/5153/1